Hijo de Satanás

Charles Bukowski

Hijo de Satanás

Traducción de Cecilia Ceriani y Txaro Santoro

EDITORIAL ANAGRAMA
BARCELONA

Título de la edición original:
Septuagenarian Stew
Black Sparrow Press
Santa Rosa, 1990

Diseño de la colección: Julio Vivas y Estudio A
Ilustración: Ángel Jové

Primera edición en «Contraseñas»: enero 1993
Primera edición en «Compactos»: septiembre 1996
Segunda edición en «Compactos»: julio 1997
Tercera edición en «Compactos»: marzo 1998
Cuarta edición en «Compactos»: mayo 1999
Quinta edición en «Compactos»: febrero 2000
Sexta edición en «Compactos»: julio 2001
Séptima edición en «Compactos»: noviembre 2002
Octava edición en «Compactos»: febrero 2004
Novena edición en «Compactos»: julio 2005
Décima edición en «Compactos»: noviembre 2006
Undécima edición en «Compactos»: noviembre 2008
Duodécima edición en «Compactos»: noviembre 2009
Decimotercera edición en «Compactos»: abril 2011
Decimocuarta edición en «Compactos»: mayo 2013

ISBN: 978-84-339-1467-5
Depósito Legal: B. 16353-2011

Printed in Spain

Liberdúplex, S. L. U., ctra. BV 2249, km 7,4 - Polígono Torrentfondo
08791 Sant Llorenç d'Hortons

Para Neeli Cherkovski

HIJO DE SATANÁS

Yo tenía once años y mis dos compinches, Hass y Morgan, tenían doce y era verano, no había colegio y nos sentábamos en la hierba al sol detrás del garaje de mi padre y fumábamos cigarrillos.

—Mierda —dije.

Estaba sentado bajo un árbol. Morgan y Hass estaban sentados con la espalda contra el garaje.

—¿Qué te pasa? —preguntó Morgan.

—Tenemos que coger a ese hijo de puta —dije—. ¡Es una vergüenza para este barrio!

—¿Quién? —preguntó Hass.

—Simpson —dije.

—Sí —dijo Hass—, tiene demasiadas pecas. Me pone nervioso.

—No es eso —dije.

—¿Ah, no? —dijo Morgan.

—No. Ese hijo de puta asegura que la semana pasada se folló a una chica debajo de mi casa. ¡Es una cochina mentira! —dije.

—Seguro que sí —dijo Hass.

—No sabe joder —dijo Morgan.

—Lo que *sí* sabe es decir jodidas mentiras —dije.

—No aguanto a los mentirosos —dijo Hass, soltando un aro de humo.

—No me gusta oír esas tonterías de un tipo con pecas —dijo Morgan.

—Bueno, entonces quizá deberíamos ir a verle —sugerí.

—¿Por qué no? —dijo Hass.

—Venga —dijo Morgan.

Bajamos por la calle de Simpson y allí estaba, jugando al balonmano contra la puerta del garaje.

—Eh —dije—, ¡mirad quién está *jugando* consigo mismo!

Simpson cogió la pelota al rebote y se volvió hacia nosotros.

—¿Qué hay, chicos?

Lo rodeamos.

—¿Te has follado a alguna chica debajo de alguna casa últimamente? —le preguntó Morgan.

—Nnno.

—¿Cómo que no? —preguntó Hass.

—No sé.

—No creo que nunca te hayas jodido a nadie más que a *ti mismo* —dije.

—Tengo que entrar ya —dijo Simpson—. Mi madre ha dicho que tengo que fregar los platos.

—Tu madre tiene platos en el chocho —dijo Morgan.

Nos reímos. Nos acercamos un poco a Simpson y sin más le propiné un fuerte derechazo en el estómago. Se dobló hacia adelante, sujetándose la tripa. Se quedó así medio minuto, luego se enderezó.

—Mi papá volverá a casa de un momento a otro —nos dijo.

—¿Ah, sí? ¿Tu papá también se folla niñas debajo de las casas? —pregunté.

—No.

Nos reímos.

Simpson no decía nada.

—Mirad esas pecas —dijo Morgan—. Cada vez que se folla a una niña debajo de una casa le sale una peca nueva.

Simpson no decía nada. Pero cada vez parecía más asustado.

—Yo tengo una hermana —dijo Hass—. ¿Cómo sé que no intentarás follarte a mi hermana debajo de alguna casa?

—¡Nunca haría eso, Hass, te lo juro!

—¿Ah, sí?

—¡Sí, lo digo en serio!

—Bueno, ¡éste es sólo para que *no* lo hagas!

Hass le dio un fuerte puñetazo a Simpson en el estómago. Simpson volvió a doblarse. Hass se agachó, cogió un puñado de tierra y se lo metió a Simpson por el cuello de la camisa. Simpson se enderezó. Tenía los ojos llenos de lágrimas. ¡Qué mariquita!

—¡Dejadme que me vaya, chicos, *por favor*!

—¿Adónde vas a ir? —le pregunté—. ¿A esconderte debajo de las faldas de tu madre mientras los platos le caen del chocho?

—Tú nunca te has follado a nadie —dijo Morgan—, ¡ni siquiera *tienes* pito! ¡Tú meas por la *oreja*!

—Como te vea alguna vez *mirando* a mi hermana —dijo Hass—, ¡te vas a llevar una paliza que te vas a quedar hecho una peca como una *catedral*!

—¡Dejadme que me vaya, por favor!

Tuve ganas de dejarle ir. A lo mejor no se había follado a nadie. A lo mejor sólo había estado soñando despierto. Pero yo era el joven líder. No podía demostrar compasión.

—Tú te vienes con nosotros, Simpson.

—¡No!

—¿No? ¡Y un *cojón*! ¡Tú te vienes con nosotros! ¡En marcha! ¡Ya!

Me puse detrás de él y le di una patada en el trasero, bien fuerte. Pegó un chillido.

—¡CÁLLATE! —grité—. ¡CÁLLATE O TE VAS A GANAR UNA PEOR! ¡EN MARCHA! ¡YA!

Lo sacamos por el camino de su casa, cruzamos el jardín, entramos en el camino de la mía y lo llevamos a mi patio de atrás.

—¡Firme! ¡Ar! —dije—. ¡Manos a los costados! ¡Vamos a formar un consejo de guerra!

Me volví hacia Morgan y Hass y dije:

—¡Todos los que crean que este hombre ha mentido al decir que se ha follado a una niña debajo de mi casa, que digan ahora «culpable»!

—Culpable —dijo Hass.

—Culpable —dijo Morgan.

—Culpable —dije yo.

Me volví hacia el prisionero.

—¡Simpson, se te ha declarado culpable!

Entonces sí que empezaron a caerle lágrimas de verdad a Simpson.

—¡Yo no he hecho nada! —decía sollozando.

—Pues de eso es de lo que eres culpable —dijo Hass—. ¡De mentir!

—¡Pero si vosotros siempre estáis mintiendo!

—Pero no en lo de follar —dijo Morgan.

—¡De eso es de lo que más mentís, de vosotros lo he aprendido!

—Cabo —me volví hacia Hass—, ¡amordace al prisionero! ¡Estoy harto de sus jodidas mentiras!

—¡Sí, señor!

Hass corrió hacia el tendedero. Cogió un pañuelo y un trapo de cocina. Mientras sosteníamos a Simpson, le metió el pañuelo en la boca y después lo amordazó con el trapo de cocina. Simpson hizo unos ruidos como de arcadas y cambió de color.

—¿Creéis que puede respirar? —preguntó Morgan.

—Puede respirar por la nariz —dije.

—Sí —corroboró Hass.

—¿Y ahora qué hacemos? —preguntó Morgan.

—El prisionero es culpable, ¿no? —pregunté.

—Sí.

—Bueno, ¡como juez lo sentencio a ser colgado por el cuello hasta morir!

Simpson emitió unos ruidos por debajo de la mordaza. Sus ojos nos miraban, suplicantes. Corrí al garaje y cogí la cuerda. Había un buen trozo cuidadosamente enrollado y colgando de un enorme clavo en la pared del garaje. No tenía ni idea de por qué tenía mi padre aquella cuerda. Que yo supiera, nunca la había usado. Ahora iba a ser utilizada.

Salí con la cuerda.

Simpson echó a correr. Hass salió disparado tras él. Le hizo un placaje y lo tiró al suelo. Lo giró sobre sus espaldas y comenzó a pegarle en la cara. Corrí hacia ellos y con el extremo de la cuerda crucé fuertemente la cara de Hass. Éste dejó de pegar. Levantó la mirada hacia mí.

—¡Hijo de puta, te voy a romper el culo a patadas!

—¡Como juez, mi veredicto ha sido que se *cuelgue* a este hombre! ¡Y así será! ¡SOLTAD AL PRISIONERO!

—¡Hijo de puta, te voy a romper el culo a patadas!

—¡*Primero* vamos a colgar al prisionero! ¡*Después* tú y yo arreglaremos cuentas!

—De eso puedes estar seguro —dijo Hass.

—¡Póngase en pie el prisionero! —dije.

Hass se quitó de encima y Simpson se puso de pie. Tenía la nariz ensangrentada y la pechera de la camisa manchada. La sangre era de un rojo muy brillante. Simpson parecía resignado. Ya no lloriqueaba, pero su mirada era de terror, era horrible de ver.

—Dame un cigarrillo —le dije a Morgan.

Me puso uno en la boca.

—Enciéndemelo —dije.

Morgan encendió el cigarrillo y di una calada. Entonces, manteniendo el cigarrillo entre los labios, eché el humo por la nariz, mientras hacía un nudo corredizo en el extremo de la cuerda.

—¡Poned al prisionero en el porche! —ordené.

Había un porche trasero. Encima del porche había un saliente. Lancé la cuerda por encima de una viga, luego tiré del nudo corredizo, que quedó frente a la cara de Simpson. Yo no quería continuar con aquello ni un minuto más. Creía que Simpson ya había sufrido bastante, pero yo era el líder e iba a tener que pelear con Hass después y no podía demostrar debilidad.

—Tal vez no debiéramos —dijo Morgan.

—¡Este hombre es *culpable*! —grité.

—¡Exacto! —gritó Hass—. ¡Vamos a *colgarlo*!

—Mirad, se ha meado encima —dijo Morgan.

Era verdad, había una mancha oscura en la parte delantera de los pantalones de Simpson e iba creciendo.

—No tiene agallas —dije.

Pasé la soga por la cabeza de Simpson. Di un tirón a la cuerda y levanté a Simpson hasta que quedó de puntillas. Después cogí el otro extremo de la cuerda y lo até a un grifo que había a un lado de la casa. Hice un nudo bien fuerte y grité:

—¡Vámonos echando leches!

Miramos a Simpson colgado allí de puntillas. Giraba muy lentamente y tenía ya aspecto de muerto.

Eché a correr. Morgan y Hass salieron corriendo conmigo. Corrimos a lo largo de la entrada y luego Morgan se separó rumbo a su casa y Hass rumbo a la suya. Me di cuenta de que yo no tenía adónde ir. Hass, pensé, o te has olvidado de la pelea o no querías pelear.

Me quedé de pie en la acera durante un minuto aproximadamente, luego volví corriendo al patio trasero. Simpson seguía girando. Muy levemente. Nos habíamos olvidado de atarle las manos. Las tenía levantadas, intentando aliviar la presión de la soga en el cuello, pero le resbalaban. Corrí hacia el grifo, desaté la cuerda y la solté. Simpson golpeó el suelo del porche, luego rodó hasta el césped.

Quedó boca abajo. Le di la vuelta y le desaté la mordaza. Tenía mal aspecto. Parecía como si fuera a morirse. Me incliné sobre él.

—Oye, hijo de puta, no te mueras, yo no quería matarte, de verdad. Si te mueres, lo siento. ¡Pero si *no* te mueres y alguna vez se lo cuentas a *alguien*, entonces *seguro* que te rompo el culo! ¿Has *entendido*?

Simpson no contestó. Simplemente me miró. Tenía un aspecto horrible. Tenía la cara púrpura y quemaduras de soga en el cuello.

Me levanté. Lo miré durante un rato. No se movía. Tenía mal aspecto. Creí que me iba a desmayar, pero me recompuse. Respiré profundamente y subí por el camino. Eran alrededor de las cuatro de la tarde. Eché a andar. Bajé hacia el bulevar y seguí andando. Iba pensando. Me sentía como si mi vida hubiese acabado. Simpson había sido siempre un solitario. Probablemente un tipo que estaba solo. Nunca se mezclaba con nosotros, los otros chicos. Era raro en ese sentido. Tal vez fuera eso lo que nos molestaba de él. Sin embargo, había algo agradable en él. Por un lado, me sentía como si hubiese hecho algo muy malo, y por otro no. Sobre todo tenía esa sensación de vacío que se concentra en el estómago. Anduve y anduve. Fui hasta la autopista y volví. Los zapatos me estaban destrozando los pies. Mis padres siempre me compraban zapatos baratos. El buen aspecto les duraba alrededor de una semana más o menos, después el cuero se cuarteaba y las uñas comenzaban a asomar a través de las suelas. De todas formas, seguí andando.

Cuando llegué a mi casa era casi de noche. Bajé lentamente por el camino de entrada hacia el patio trasero. Simpson no estaba allí. Y la cuerda había desaparecido. Tal vez estuviese muerto. Tal vez estuviese en otro sitio. Eché una mirada alrededor.

El rostro de mi padre apareció enmarcado por la puerta de tela metálica.

—Entra —dijo.

Subí los escalones del porche y pasé por delante de él.

—Tu madre no ha regresado todavía. Afortunadamente. Vete a tu habitación. Quiero tener una pequeña charla contigo.

Entré en mi habitación, me senté en el borde de la cama y bajé la mirada hacia mis zapatos baratos. Mi padre era un hombre grande, 1,89 m. Tenía una cabeza grande y unos ojos que colgaban bajo unas cejas tupidas. Tenía los labios gruesos y las orejas grandes. Era despreciable sin siquiera proponérselo.

—¿Dónde estabas? —preguntó.

—Andando.

—Andando. ¿Por qué?

—Me gusta andar.

—¿Desde cuándo?

—Desde hoy.

Hubo un largo silencio. Después volvió a hablar.

—¿Qué ha pasado hoy en nuestro patio?

—¿Está muerto?

—¿Quién?

—Le advertí que no hablara. Si lo ha hecho es que no está muerto.

—No, no está muerto. Y sus padres iban a llamar a la policía. Me costó mucho rato convencerlos de que no lo hicieran. ¡Si hubiesen llamado a la policía tu madre se habría muerto del disgusto! ¿Te das cuenta?

No contesté.

—Tu madre se habría muerto del disgusto. ¿Te das cuenta?

No contesté.

—He tenido que darles dinero para que no dijeran nada. Además, tendré que pagar la cuenta del médico. ¡Te voy a dar la paliza de tu vida! ¡Ahora vas a aprender! ¡No voy a criar un hijo que ni siquiera sabe vivir entre personas!

Estaba allí de pie, en la puerta, sin moverse. Miré sus ojos bajo aquellas cejas, aquel corpachón.

—Quiero que venga la policía —dije—. No quiero saber nada de ti. Llama a la policía.

Vino lentamente hacia mí.

—La policía no entiende a la gente como tú.

Me levanté de la cama y cerré los puños.

—Venga —dije—. ¡Vamos a pelear!

Se echó sobre mí de repente. Sentí un destello de luz cegadora y un golpe tan fuerte que, en realidad, no lo sentí. Estaba en el suelo. Me levanté.

—¡Más vale que me mates —le dije—, porque si no, cuando yo sea suficientemente mayor te mataré!

El siguiente golpe me mandó rodando debajo de la cama. Parecía un buen sitio donde estar. Levanté la vista hacia los muelles y sentí que nunca había visto nada tan amistoso y maravilloso como aquellos muelles de allí arriba. Entonces me reí, era una risa de puro miedo, pero me reí y me reí porque de pronto se me ocurrió que tal vez Simpson si se *había* follado a una niña debajo de mi casa.

—¿De qué mierda te ríes? —gritó mi padre—. ¡Tú debes de ser *Hijo de Satanás,* tú no eres hijo *mío!*

Vi su enorme mano metiéndose debajo de la cama, buscándome. Cuando la tuve cerca la cogí con las dos manos y la mordí con todas mis fuerzas. Se oyó un aullido feroz y la mano se retiró. Mi boca tenía un sabor a carne fresca, escupí. Entonces me di cuenta de que aunque Simpson no estaba muerto era muy probable que yo sí lo estuviera muy pronto.

—Muy bien —oí decir a mi padre por lo bajo—, ahora sí que te la has ganado y te juro que te la vas a llevar.

Esperé, y mientras esperaba lo único que oía eran ruidos extraños. Oía pájaros, oía el ruido de los coches que pasaban, oía incluso mi corazón palpitando y la sangre circulando por todo el cuerpo. Oía a mi padre respirar, entonces me arrastré hasta quedar exactamente debajo del centro de la cama y esperé a ver qué pasaba.

Harry se despertó en su cama con resaca. Una resaca horrible.

—Mierda —dijo en voz baja.

Había un pequeño lavabo en la habitación.

Harry se levantó, alivió su estómago en el lavabo que después aclaró con agua del grifo, metió la cabeza debajo y bebió un poco de agua. Después se mojó la cara y se la secó con la camiseta que llevaba puesta.

Era el año 1943.

Harry cogió algunas prendas del suelo y comenzó a vestirse lentamente. Las persianas estaban echadas y todo estaba oscuro menos los lugares donde el sol se colaba por los trozos rotos de la persiana. Había dos ventanas. Un sitio distinguido.

Salió pasillo adelante rumbo al retrete, cerró la puerta con llave y se sentó. Era increíble que aún pudiese defecar. No había comido desde hacía varios días.

Dios mío, pensó, la gente tiene intestinos, boca, pulmones, orejas, ombligo, órganos sexuales y... pelo, poros, lengua, a veces dientes, y todo lo demás..., uñas, pestañas, dedos de los pies, rodillas, estómago...

Había algo muy *fastidioso* en todo eso. ¿Por qué nadie se quejaba?

Harry acabó con el áspero papel higiénico de la pensión. Seguro que las caseras se limpiaban con algo mejor. Todas aquellas caseras tan religiosas, con maridos muertos hace tiempo.

Se subió los pantalones, tiró de la cadena, salió de allí, bajó la escalera de la pensión y salió a la calle.

Eran las 11 de la mañana. Se dirigió hacia el sur. La resaca era brutal, pero no le importaba. Eso significaba que había estado en algún otro lugar, algún sitio bueno. Mientras iba andando encontró medio cigarrillo en el bolsillo de la camisa. Se detuvo, miró el extremo negro y aplastado, buscó una cerilla y luego intentó encenderlo. La llama no prendía. Siguió intentándolo. Después de la cuarta cerilla, que le quemó los dedos, consiguió dar una calada. Sintió náuseas, luego tosió. Notó que su estómago se estremecía.

Un coche se acercó lentamente. Estaba ocupado por cuatro muchachos jóvenes.

—¡EH, TÚ, VEJESTORIO! ¡MUÉRETE! —gritó uno de ellos a Harry.

Los otros se rieron. Después se fueron.

El cigarrillo de Harry seguía encendido. Dio otra calada. Brotó una bocanada de humo azul. Le gustaba aquella bocanada de humo azul.

Caminaba bajo el calor del sol pensando: «Voy andando y fumando un cigarrillo.»

Harry caminó hasta llegar al parque que había frente a la biblioteca. Seguía chupando el cigarrillo. Entonces la colilla le quemó los dedos y la tiró a regañadientes. Entró en el parque y anduvo hasta encontrar un sitio entre una estatua y unos arbustos. Era una estatua de Beethoven. Y Beethoven estaba andando, con la cabeza gacha, las manos entrelazadas a la espalda, obviamente pensando en algo.

Harry se agachó y se tumbó sobre la hierba. La hierba recién cortada picaba bastante. Estaba puntiaguda, afilada, pero tenía un aroma agradable y limpio. El aroma de la paz.

Insectos diminutos comenzaron a pulular alrededor de su cara en círculos irregulares, cruzándose unos con otros pero sin chocar jamás.

Apenas eran unas partículas, pero eran unas partículas a la búsqueda de algo.

Harry levantó la mirada, a través de las partículas, hacia el cielo. El cielo estaba azul y endemoniadamente alto. Harry siguió mirando hacia arriba, al cielo, intentando sacar algo en claro. Pero Harry no sacó nada en claro. Ninguna sensación de eternidad, ni de Dios, ni siquiera del diablo. Pero uno tiene que encontrar primero a Dios para encontrar al diablo. Van en ese orden.

A Harry no le gustaban los pensamientos profundos. Los pensamientos profundos podían conducir a errores profundos.

Después pensó un poco en el suicidio. Tranquilamente. Como la mayoría de los hombres piensa en comprarse un par de zapatos nuevos. El problema principal del suicidio es la idea de que podría ser el comienzo de algo peor. Lo que él realmente necesitaba era una botella de cerveza helada, con la etiqueta un poco mojada y esas gotas frías tan hermosas sobre la superficie del vaso.

Harry comenzó a dormitar..., a ser despertado por el sonido de voces. Las voces de colegialas muy jóvenes. Se reían con risillas bobas.

—¡Ohh, mirad!

—¡Está dormido!

—¿Le despertamos?

Harry entreabrió un poco los ojos bajo el sol, espiándolas a través de las pestañas. No estaba seguro de cuántas eran, pero vio sus vestidos llenos de colores: amarillos y rojos y verdes y azules.

—¡Mirad, es precioso!

Soltaron unas risillas bobas, se rieron abiertamente, salieron corriendo.

Harry volvió a cerrar los ojos.

¿Qué había sido aquello?

Nunca le había pasado nada tan deliciosamente refrescante. Le habían llamado «precioso». ¡Qué amabilidad!

Pero no regresarían.

Se levantó y anduvo hasta el extremo del parque. Allí estaba la avenida. Encontró un banco y se sentó. Había otro vagabundo en el banco de al lado. Era mucho más viejo que Harry. El vagabundo tenía un aire pesado, oscuro y siniestro que a Harry le recordó a su padre.

No, pensó Harry, ¡qué desconsiderado soy!

El vagabundo echó una rápida mirada a Harry. El vagabundo tenía unos ojos minúsculos e inexpresivos.

Harry le sonrió levemente. El vagabundo miró hacia otro lado.

Entonces se oyó un ruido procedente de la avenida. Motores. Era un convoy del ejército. Una larga fila de camiones llenos de soldados. Rebosantes de soldados que iban allí como enlatados, colgando por los costados de los camiones. El mundo estaba en guerra.

El convoy se movía lentamente. Los soldados vieron a Harry sentado en el banco del parque y ahí empezó todo. Era una mezcla de silbidos, abucheos y sartas de palabrotas. Le estaban gritando a él.

—¡EH, TÚ, HIJO DE PUTA!

—¡DESERTOR!

Cuando uno de los camiones del convoy ya había pasado, el siguiente retomaba la cantinela.

—¡MUEVE EL CULO DE ESE BANCO!

—¡COBARDE!

—¡JODIDO MARICA!

—¡GALLINA!

Era un convoy muy largo y muy lento.

—¡VENGA, ÚNETE A NOSOTROS!

—¡NOSOTROS TE ENSEÑAREMOS A PELEAR, MAMARRACHO!

Los rostros eran blancos y marrones y negros, flores del odio.

Entonces el vagabundo viejo se levantó del banco y gritó a los del convoy:

—¡SE LO VOY A HACER PAGAR POR VOSOTROS, AMIGOS! ¡YO LUCHÉ EN LA PRIMERA GUERRA MUNDIAL!

Los de los camiones se rieron y agitaron los brazos:

—¡HAZ QUE LO PAGUE, ABUELO!

—¡HAZLE VER LA LUZ!

Y el convoy desapareció.

Le habían tirado varias cosas a Harry: latas de cerveza vacías, latas de refrescos, naranjas, un plátano.

Harry se puso de pie, cogió el plátano, volvió a sentarse, lo peló y se lo comió. Estaba delicioso. Después encontró una naranja, la peló, masticó y se tragó la pulpa y el zumo. Encontró otra naranja y se la comió. Después encontró un encendedor que alguien había tirado o perdido. Lo encendió. Funcionaba.

Se dirigió hacia el vagabundo sentado en el banco, extendiendo el brazo en el que llevaba el encendedor.

—Eh, amigo, ¿tienes tabaco?

Los ojillos del vagabundo se volvieron rápidamente hacia Harry. No tenían vida, como si las pupilas les hubieran sido arrancadas. El labio inferior del vagabundo temblaba.

—Te gusta Hitler, ¿no? —dijo muy suavemente.

—Oye, amigo —dijo Harry—. ¿Por qué no nos vamos tú y yo por ahí? Puede que consigamos alguna copa.

Los ojos del vagabundo viejo se quedaron en blanco. Durante un rato lo único que Harry vio fueron los blancos globos oculares inyectados en sangre. Después los ojos volvieron a su sitio.

El vagabundo lo miró:

—¡*Contigo*... no!

—Muy bien —dijo Harry—, hasta la vista...

Los ojos del vagabundo viejo volvieron a ponerse en blanco y repitió lo mismo, sólo que esta vez más alto:

—¡CONTIGO... NO!

Harry salió lentamente del parque y fue calle arriba hacia su bar preferido. El bar siempre estaba allí. Harry *echaba anclas* en aquel bar. Era su único refugio. Era despiadado y exacto.

De camino, Harry pasó por un terreno baldío. Un grupo de hombres de mediana edad jugaba el béisbol. No estaban en forma. La mayoría tenía una barriga prominente, eran bajos de estatura y tenían grandes traseros, casi de mujer. Eran todos no aptos o demasiado viejos para ser llamados a filas.

Harry se detuvo y observó el juego. Muchos tiros fuera, lanzamientos absurdos, bateadores golpeados, errores, pelotas mal bateadas, pero seguían jugando. Casi como un rito, un deber. Y estaban furiosos. Lo que mejor les salía era la furia. La energía de su furia era lo que dominaba.

Harry se quedó mirando. Todo parecía inútil. Hasta la pelota parecía triste, botando aquí y allá inútilmente.

—Hola, Harry, ¿cómo es que no estás en el bar?

Era el viejo y flaco McDuff chupando su pipa. McDuff tenía alrededor de 62 años, siempre miraba hacia adelante, nunca te miraba *a ti*, pero de todas formas te veía desde detrás de aquellas gafas sin montura. Y siempre llevaba un traje negro y una corbata azul. Entraba en el bar todos los días alrededor de mediodía, se tomaba dos cervezas y luego se iba. No se le podía odiar y no se le podía querer. Era como un calendario o un portaplumas.

—Para allá voy —contestó Harry.

—Voy contigo —dijo McDuff.

Así que Harry se fue andando con el viejo y flaco McDuff, y el viejo y flaco McDuff iba chupando su pipa. McDuff siempre tenía *encendida* aquella pipa. McDuff *era* su pipa. ¿Por qué no?

Caminaban juntos sin hablar. No había nada que decir. Paraban en los semáforos. McDuff chupaba su pipa.

McDuff tenía dinero ahorrado. Nunca se había casado. Vivía en un apartamento de dos habitaciones y no hacía gran cosa. Bueno, leía los periódicos, pero sin demasiado interés. No era creyente. Pero no por falta de convicción, sino porque simplemente no se había preocupado de considerar ese aspecto de un modo u otro. Era como no ser republicano por no saber lo que es ser republicano. McDuff no era feliz ni desgraciado. Una vez se puso nervioso un instante, pareció que algo le preocupaba y durante unas décimas de segundo el terror se reflejó en sus ojos. Luego aquello pasó, rápidamente..., como una mosca que se hubiera posado... y luego saliese disparada hacia tierras más prometedoras.

Entonces llegaron al bar. Entraron.

El gentío habitual.

McDuff y Harry se sentaron en sus taburetes.

—Dos cervezas —canturreó al camarero el bueno de McDuff.

—¿Qué haces, Harry? —preguntó uno de los clientes del bar.

—Buscar, moverme y cagar —contestó Harry.

Lo sintió por McDuff. Nadie lo había saludado. McDuff era como un papel secante sobre una mesa de despacho. No impresionaba. A Harry lo veían porque era un vagabundo. Les hacía sentirse superiores. Necesitaban esa sensación. McDuff les hacía sentirse débiles y ellos ya eran débiles de por sí.

No pasaba nada importante. Todo el mundo estaba sentado frente a sus bebidas, mimándolas. Pocos tenían la suficiente imaginación como para emborracharse simplemente como una cuba.

Una insulsa tarde de sábado.

McDuff pidió su segunda cerveza y tuvo la amabilidad de invitar a Harry de nuevo.

La pipa de McDuff estaba roja por las seis horas que llevaba ardiendo sin parar.

Acabó su segunda cerveza y salió del bar, y entonces Harry se quedó allí sentado solo, con el resto de la tripulación.

Era un sábado lento, lento, pero Harry sabía que si se quedaba allí sin hacer nada el tiempo suficiente, lo lograría. Por supuesto, el sábado por la noche era el mejor momento para gorronear copas. Pero no tenía adónde ir hasta entonces. Harry tenía que evitar a la dueña de la pensión. Pagaba por semanas y llevaba nueve días de retraso.

El ambiente se puso terrible entre copa y copa. Lo único que buscaban los clientes era sentarse y estar en algún sitio. Reinaba una soledad general, un miedo suave y una necesidad de estar juntos y charlar un poco, eso les aliviaba. Todo lo que Harry necesitaba era algo de beber. Harry podía beber sin parar y aún seguía necesitando más, no existía suficiente bebida para satisfacerle. Pero los demás... sólo estaban allí *sentados*, interviniendo de vez en cuando se hablase de lo que se hablase.

La cerveza de Harry se estaba desbravando. Y el asunto consistía en no terminarla, porque entonces había que pagar otra y no tenía dinero. Tenía que tener paciencia y esperanza. Como buen gorrón profesional de copas, Harry conocía la primera regla: nunca pidas que te inviten. Para los demás la gracia consistía en que estuviera sediento. Si pedía que le invitaran les quitaba el placer de sentirse espléndidos.

Harry dejó deambular su mirada por el bar. Había cuatro o cinco clientes. No eran muchos y no eran gran cosa. Uno de los que no eran gran cosa era Monk Hamilton. La razón principal por la que Monk creía merecer la inmortalidad era que se comía seis huevos para desayunar. Todos los días. Pensaba que eso le hacía superior. Pensar no se le daba bien. Era enorme, casi tan ancho como alto, tenía unos ojos pálidos y despreocupados, de mirada fija, un cuello de roble y unas manos enormes, peludas y nudosas.

Monk estaba hablando con el camarero. Harry miraba una mosca que se estaba metiendo despacito en un cenicero mojado de cerveza que había frente a él. La mosca dio varias vueltas entre las colillas, se dio contra un cigarrillo borracho y entonces emitió un zumbido furioso, se elevó en línea recta hacia arriba, pareció luego que volaba hacia atrás y hacia la izquierda y después se esfumó.

Monk era limpiacristales. Sus ojos afables vieron a Harry. Sus gruesos labios se contrajeron en una sonrisa altanera. Cogió su botella, se acercó, se sentó en el taburete contiguo al de Harry.

—¿Qué haces, Harry?

—Estoy esperando a que llueva.

—¿Te apetece una cerveza?

—Estoy esperando a que llueva cerveza, Monk. Gracias.

Monk pidió dos cervezas. Las trajeron.

A Harry le gustaba beber la cerveza directamente de la botella. Monk vació parte de la suya dentro de un vaso.

—¿Necesitas trabajo, Harry?

—No he pensado en eso.

—Lo único que tienes que hacer es sostener la escalera. Necesitamos alguien que sostenga la escalera. Claro, no pagan tan bien como a los que están en lo alto, pero te dan algo. ¿Qué te parece?

Monk estaba bromeando. Monk creyó que Harry estaba demasiado jodido para darse cuenta.

—Déjame pensarlo un rato, Monk.

Monk miró a los otros clientes, puso de nuevo su sonrisa altanera, les guiñó un ojo y luego volvió a mirar a Harry.

—Oye, lo único que tienes que hacer es sostener derecha la escalera. Yo estaré arriba, limpiando las ventanas. Lo único que tienes que hacer es sostener derecha la escalera. No es muy difícil, ¿no?

—No tan difícil como muchas otras cosas, Monk.

—Entonces, ¿vas a hacerlo?

—Creo que no.

—¡Venga! ¿Por qué no pruebas una vez?

—No sé hacerlo, Monk.

Entonces todos se sintieron bien. Harry era su chico. El perfecto idiota.

Harry miró todas aquellas botellas de detrás de la barra. Todos aquellos buenos momentos esperando, toda aquella risa, toda aquella locura..., bourbon, whisky, vino, ginebra, vodka y todo lo demás. Sin embargo, aquellas botellas estaban allí, sin abrir. Era como una vida esperando ser vivida y que nadie quería.

—Oye —dijo Monk—, voy a ir a cortarme el pelo.

Harry sintió la gordura silenciosa de Monk. Monk había ganado algo en algún sitio. Se sentía tan bien como una llave que encaja en una cerradura que permite entrar en algún lugar.

—¿Por qué no vienes y te quedas conmigo mientras me cortan el pelo?

Harry no contestó.

Monk se inclinó acercándose:

—Pararemos a tomar una cerveza por el camino y después te invitaré a otra.

—Vamos...

Harry vació sin dificultad la botella dentro de su sed y puso la botella sobre la barra. Salió del bar siguiendo a Monk. Bajaron la calle juntos. Harry se sentía como un perro siguiendo a su amo. Y Monk estaba tranquilo, todo estaba funcionando, todo encajaba. Era su sábado libre e iba a cortarse el pelo.

Encontraron un bar y pararon. Era mucho más bonito y limpio que aquel en el que Harry solía pasarse las horas muertas. Monk pidió las cervezas.

¡Cómo estaba allí sentado! ¡Un *superhombre*! Y además, le gustaba sentirse así. Nunca había pensado en la muerte, por lo menos no en la suya.

Cuando estaban sentados uno junto al otro, Harry comprendió que había cometido un error: un trabajo de 8 a 5 hubiese sido menos penoso.

Monk tenía un lunar en el lado derecho de la cara, un lunar muy relajado, un lunar sin conciencia de sí mismo.

Harry observó cómo Monk levantaba su botella y chupaba de ella. Era algo que Monk hacía *porque sí*, como meterse el dedo en la nariz. No estaba realmente *sediento* de alcohol. Monk estaba simplemente allí sentado con su botella y había pagado para eso. Y el tiempo pasaba como la mierda río abajo.

Terminaron sus botellas y Monk le dijo algo al camarero y el camarero le contestó algo.

Entonces Harry salió del bar siguiendo a Monk. Iban juntos y Monk iba a cortarse el pelo.

Llegaron a la peluquería y entraron. No había ningún otro cliente. El peluquero conocía a Monk. Mientras Monk se encaramaba en su silla, se dijeron algo. El peluquero extendió la toalla y la cabeza de Monk surgió de allí dentro, con el lunar firme en la mejilla derecha, y dijo:

—Lo quiero corto alrededor de las orejas y no mucho por arriba.

Harry, desesperado por otra copa, cogió una revista, pasó algunas páginas e hizo como si tuviera interés en ella.

Entonces oyó a Monk hablar con el peluquero.

—Por cierto, Paul, éste es Harry. Harry, éste es Paul.

Paul y Harry y Monk.

Monk y Harry y Paul.

Harry, Monk, Paul.

—Oye, Monk —dijo Harry—, ¿qué tal si me voy a tomar otra cerveza mientras te cortan el pelo?

Los ojos de Monk se clavaron en Harry.

—No, nos beberemos una cerveza cuando yo termine aquí.

Luego sus ojos se clavaron en el espejo.

—No quites *demasiado* de encima de las orejas, Paul.

Mientras el mundo daba vueltas, Paul tijereteaba.

—¿Has ligado mucho, Monk?

—Nada, Paul.

—No me lo creo...

—Pues deberías creerlo, Paul.

—No es eso lo que he oído.

—¿Qué, por ejemplo?

—Que cuando Betsy Ross hizo aquella primera bandera, ¡las 13 estrellas no hubieran dado para envolver*te* la polla!

—¡Joder, Paul, eres *demasiado*!

Monk se rió. Su risa era como si se estuviesen cortando rebanadas de linóleum con un cuchillo mal afilado. O quizá era un grito de muerte.

De pronto, dejó de reírse.

—No me quites *demasiado* de arriba.

Harry dejó la revista y miró el suelo. La risa de linóleum se había convertido en un suelo de linóleum. Verde y azul, con diamantes púrpura. Un suelo antiguo. Algunas partes habían empezado a pelarse, dejando al descubierto el suelo marrón oscuro de debajo. A Harry le gustaba el marrón oscuro.

Empezó a contar: 3 sillones de peluquería, 5 sillas para esperar, 13 o 14 revistas. Un peluquero. Un cliente. Un... ¿qué?

Paul y Harry y Monk y el marrón oscuro.

Fuera pasaban los coches. Harry empezó a contarlos, paró. No hay que jugar con la locura, la locura no juega.

Más fácil era contar las copas en la mano: ninguna.

El tiempo sonaba como una campana muda.

Harry tomó conciencia de sus pies, de sus pies dentro de los zapatos, luego de los dedos... en los pies... dentro de los zapatos.

Movió los dedos de los pies. Su vida se consumía yendo hacia ninguna parte como si fuese un caracol que se arrastra hacia el fuego.

Las plantas echaban hojas, los antílopes levantaban la cabeza de la hierba, un carnicero de Birmingham levantaba el cuchillo y Harry estaba sentado esperando en una peluquería, con sus esperanzas puestas en una cerveza.

No tenía honor, nunca era su día.

Aquello siguió, transcurrió, siguió y por fin terminó. El final de la obra del sillón del peluquero. Paul giró a Monk para que pudiese verse en los espejos de detrás del sillón.

Harry odiaba las peluquerías. El giro final en el sillón, aquellos espejos, eran momentos de horror para él.

A Monk no le importaba.

Se miró. Estudió su imagen, su cara, su pelo, todo. Parecía admirar lo que veía. Entonces habló:

—Muy bien, Paul, pero ¿te importaría cortarme ahora un poquito más del lado izquierdo? ¿Y ves estos pelillos que salen por aquí? Deberías cortarlos.

—Oh, sí, Monk..., ahora mismo...

El peluquero volvió a girar a Monk y se concentró en los pelillos que se salían de su sitio.

Harry miró las tijeras. Había mucho clic-clic pero no cortaban casi nada.

Entonces Paul giró otra vez a Monk hacia los espejos.

Monk volvió a mirarse.

Una leve sonrisa le distorsionó el lado derecho de la boca. Luego en el lado izquierdo de la cara le apareció un ligero tic. Narcisismo con sólo una sombra de duda.

—Así está bien —dijo—, ahora está perfecto.

Paul cepilló a Monk con un cepillo pequeño. El pelo muerto caía hacia un mundo muerto.

Monk buscó en el bolsillo el dinero para pagar y la propina. La transacción monetaria tintineó en la tarde muerta.

Después Harry y Monk fueron juntos calle abajo de regreso al bar.

—No hay nada como un corte de pelo —dijo Monk— para sentirse como un hombre nuevo.

Monk siempre llevaba camisas de trabajo azul pálido, remangadas para exhibir los bíceps. ¡Menudo tío! Ahora lo único que le faltaba era una hembra que le *doblase* los calzoncillos y las camisetas, que le enrollase los calcetines y los guardara en el cajón de la cómoda.

—Gracias por acompañarme, Harry.

—Vale, Monk...

—La próxima vez que vaya a cortarme el pelo me gustaría que me acompañaras.

—Quizá, Monk...

Monk iba andando junto al bordillo y fue como un sueño. Un sueño sensacionalista. Simplemente ocurrió. Harry no sabía de dónde había venido el impulso, pero lo permitió, simuló que tropezaba y empujó a Monk. Y Monk, como un pesado bloque de carne, cayó delante del autobús. El conductor pisó los frenos y se oyó un ruido sordo, no demasiado fuerte, pero un ruido sordo. Y allí estaba Monk sentado en la cuneta, con su corte de pelo, lunar, y todo. Y Harry bajó la mirada. Lo más extraño de todo aquello: la cartera de Monk estaba en la cuneta. Había saltado del bolsillo trasero de Monk por el impacto y allí estaba, en la cuneta. Sólo que no estaba plana sobre el suelo, se erguía como una pequeña pirámide.

Harry se agachó, la recogió, la puso en su bolsillo delantero. Estaba tibia y llena de gracia. Dios te salve, María.

Entonces Harry se inclinó sobre Monk.

—¿Monk? Monk..., ¿estás bien?

Monk no contestó. Pero Harry notó que respiraba y vio que

no había sangre. Y de repente el rostro de Monk se volvió hermoso y elegante.

Está jodido, pensó Harry, y yo estoy jodido. Todos estamos jodidos sólo que de diferentes maneras. No hay verdad, no hay nada real, no hay nada.

Pero sí había algo. Había una multitud.

—¡Retírense! —dijo alguien—. ¡Denle aire!

Harry retrocedió. Retrocedió hasta meterse entre la multitud. Nadie le detuvo.

Iba andando hacia el sur. Oyó el lamento de la ambulancia, junto con el de su propia culpa.

Entonces, de pronto, la culpa desapareció. Como acaba una vieja guerra. Había que seguir adelante. Las cosas continuaban. Como las pulgas y las tortitas con caramelo.

Harry se precipitó dentro de un bar en el que no había reparado antes. Había un camarero en la barra. Había botellas. Estaba oscuro allí dentro. Pidió un whisky doble, lo bebió de un trago. La cartera de Monk estaba hinchada y espléndida. El viernes debía de ser día de paga. Harry sacó un billete, pidió otro whisky doble. Bebió la mitad de un trago, aguardó un minuto en homenaje a Monk y luego se bebió el resto. Por primera vez en mucho tiempo se sintió muy bien.

A última hora de la tarde Harry bajó andando hasta el Groton Steak House. Entró y se sentó en la barra. Nunca había entrado allí. Un hombre alto, delgado y anodino, con gorro de cocinero y delantal manchado, se acercó y se inclinó por encima de la barra. Necesitaba un afeitado y olía a aerosol contra cucarachas. Miró maliciosamente a Harry.

—¿Vienes por el TRABAJO? —preguntó.

¿Por qué demonios quieren todos ponerme a trabajar?, pensó Harry.

—No —contestó.

—Hay un puesto de friegaplatos. Cincuenta centavos la hora y, de vez en cuando, se le puede tocar el culo a Rita.

La camarera pasó a su lado. Harry le miró el culo.

—No, gracias. Lo que quiero ahora es una cerveza. Sin vaso. De cualquier marca.

El chef se le acercó aún más. Tenía unos pelos muy largos en los agujeros de la nariz, que provocaban una enorme intimidación, como una pesadilla fuera de programa.

—Oye, cabrón, ¿tienes dinero?

—Claro que tengo —dijo Harry.

El chef dudó un momento, luego se alejó, abrió la nevera y sacó una botella. La destapó, volvió a donde estaba Harry y la puso de un golpe frente a él.

Harry dio un buen trago, bajó suavemente la botella hasta la barra.

El chef seguía examinándolo. El chef no podía comprenderlo del todo.

—Ahora —dijo Harry—, quiero un bistec de solomillo, tirando a hecho, con patatas fritas y poca salsa. Y tráigame otra cerveza ahora mismo.

El chef se alzó amenazadoramente frente a él, como una nube furiosa, luego se largó, volvió a la nevera, repitió la acción que incluía llevar la botella y depositarla de un golpe sobre la barra.

Entonces el chef fue hacia la parrilla, lanzó un bistec encima.

Se levantó un velo de humo glorioso. A través de él, el chef miraba fijamente a Harry.

No sé por qué no le gusto, pensó Harry. Bueno, quizá necesite cortarme el pelo (quíteme bastante de todas partes, por favor) y afeitarme, quizá tenga la cara un poco magullada, pero llevo la ropa bastante limpia. Gastada, pero limpia. Probablemente estoy más limpio que el alcalde de esta puta ciudad.

La camarera se acercó. No tenía mal aspecto. No era nada del otro mundo, pero no estaba mal. Llevaba el pelo recogido hacia arriba, como revuelto y con unos rizos que le colgaban por los lados. Bonito.

Se inclinó por encima de la barra.

—¿Vas a quedarte de friegaplatos?

—Me gusta el sueldo pero no es mi tipo de trabajo.

—¿Cuál es tu tipo de trabajo?

—Soy arquitecto.

—Eres un comemierda —dijo, y se alejó.

Harry sabía que no era demasiado bueno entablando conversación. Se había dado cuenta de que cuanto menos hablaba, mejor se sentía la gente.

Harry se acabó las dos cervezas. Entonces llegó el bistec con patatas fritas. El chef depositó el plato de un golpe. El chef era un gran golpeador.

A Harry le parecía un milagro. Se puso a ello, cortando y masticando. Hacía un par de años que no comía un bistec. A medida que comía sentía cómo entraba en su cuerpo una fuerza nueva. Cuando no se come a menudo, eso resulta un gran *acontecimiento*.

Hasta su cerebro sonreía. Y su cuerpo parecía decir: gracias, gracias, gracias.

Entonces Harry acabó.

El chef aún seguía mirándolo fijamente.

—Muy bien —dijo Harry—, tráigame otro plato de lo mismo.

—¿Va a tomar otra vez lo mismo?

—Sí.

La mirada pasó de fija a feroz. El chef se alejó y lanzó otro bistec sobre la parrilla.

—Y tomaré otra cerveza, por favor. Ahora.

—¡RITA! —gritó el chef—, ¡DALE OTRA CERVEZA!

Rita se acercó con la cerveza.

—Para ser arquitecto —dijo—, le das mucho a la cerveza.

—Estoy planeando levantar algo.

—¡Ja, ja! ¡Cómo si pudieras...!

Harry se concentró en su cerveza. Luego se levantó y se fue al lavabo de caballeros. Cuando regresó se acabó la cerveza.

El chef salió y puso de un golpe el plato de bistec con patatas delante de Harry.

—El puesto sigue vacante si lo quieres.

Harry no contestó. Empezó a comer otra vez.

El chef volvió a la parrilla desde donde continuó mirando fijamente a Harry.

—Tienes derecho a *dos* comidas —dijo el chef— *y* a meter mano.

Harry estaba demasiado ocupado con el bistec con patatas para contestar. Seguía teniendo hambre. Cuando se es un vagabundo, y especialmente si se es bebedor, pueden pasar días y días sin que comas, muchas veces sin que sientas siquiera ganas, pero de pronto te ataca un hambre insoportable. Uno empieza a pensar en comérselo todo, cualquier cosa: ratones, mariposas, hojas, resguardos de la casa de empeños, periódicos, corchos, lo que sea.

Ahora, en plena faena del segundo bistec, el hambre de Harry continuaba allí. Las patatas fritas estaban fantásticas, crujientes, amarillas y calientes, parecidas a la luz del sol, una gloriosa y nutritiva luz solar que podía morderse. Y el bistec no era simplemente una rebanada de algún pobre bicho asesinado, era algo apasionante que alimentaba el cuerpo y el alma y el corazón, que iluminaba la mirada y hacía que el mundo no fuera tan difícil de soportar, o tan inhóspito. De momento la muerte no importaba.

Entonces acabó el segundo plato. Sólo quedó el hueso del bistec y, además, completamente limpio. El chef seguía mirándole.

—Me voy a comer otro —le dijo Harry al chef—. Otro bistec con patatas y otra cerveza, por favor.

—¡NO! —gritó el chef—. ¡VAS A PAGAR Y TE VAS A LARGAR A LA PUTA CALLE!

Dio la vuelta a la parrilla y se paró frente a Harry. Tenía una libreta en la mano. Garabateó furiosamente en la libreta. Luego tiró la cuenta en medio del plato sucio. Harry la cogió del plato.

Había otro cliente en el restaurante, un hombre muy redondo y rosado, con una cabeza grande, llena de pelos despeinados, teñidos de un castaño bastante desalentador. El hombre había consumido numerosas tazas de café mientras leía el periódico de la tarde.

Harry se puso de pie, sacó unos billetes, apartó dos y los puso cerca del plato.

Luego salió de allí.

El tráfico de las primeras horas de la noche comenzaba a llenar de coches la avenida. El sol se estaba poniendo a sus espaldas. Harry observó a los conductores de los coches. Parecían desgraciados. El mundo era desgraciado. La gente estaba en la oscuridad. La gente estaba aterrada y desilusionada. La gente había caído en las trampas. La gente estaba desesperada y a la defensiva. Se sentían como si estuvieran malgastando sus vidas. Y tenían razón.

Harry echó a andar. Se detuvo en un semáforo. Y en ese momento tuvo una sensación muy extraña. Le pareció que él era la única persona viva del mundo.

Cuando la luz se puso verde se olvidó completamente del asunto. Cruzó la calle hacia la otra acera y continuó caminando.

UN DÍA

Brock, el capataz, siempre estaba metiéndose los dedos en el culo, los de la mano izquierda. Era un caso terrible de hemorroides.

Tom lo notó durante la jornada de trabajo.

Brock tenía problemas en el culo desde hacía meses. Aquellos ojos redondos y sin vida parecían estar siempre observando a Tom. Y entonces Tom veía la mano izquierda que iba hacia trás y escarbaba.

Y Brock estaba tan contento hurgándose el culo.

Tom hacía su trabajo tan bien como los demás. Puede que no demostrara tanto entusiasmo como algunos pero hacía su trabajo.

Sin embargo, Brock siempre estaba tras él, haciendo comentarios, haciendo sugerencias inútiles.

Brock estaba emparentado con el dueño del negocio y habían creado un puesto para él: el de capataz.

Aquel día Tom terminó de empaquetar las guarniciones de alumbrado en la caja de cartón rectangular de 2 metros y la lanzó encima de la pila que había detrás de su mesa de trabajo. Se volvió para coger otra pieza de la cadena de montaje.

Brock estaba de pie frente a él.

—Quiero hablar contigo, Tom...

Brock era alto y delgado, con el cuerpo encorvado hacia adelante. La cabeza siempre colgando hacia abajo, colgando de aquel cuello largo y delgado. La boca siempre abierta. La nariz, más que prominente, con unos agujeros extremadamente grandes. Los pies grandes y torpes. Los pantalones le bailaban a Brock en aquella percha escuálida.

—Tom, no haces tu trabajo.

—Estoy al día en la producción. ¿Qué me estás diciendo?

—Me parece que no utilizas suficiente material de empaquetar. Tienes que utilizar más relleno. Ha habido algunos problemas de roturas y estamos intentando corregirlos.

—¿Por qué no haces que todos los operarios pongan sus iniciales en las cajas? Así, si hay roturas, puedes saber quién ha sido.

—Aquí soy yo el que se *encarga* de pensar, Tom. Ése es mi trabajo.

—Claro.

—Ven, quiero que vengas conmigo y observes cómo empaqueta Roosevelt.

Fueron hasta la mesa de Roosevelt.

Roosevelt llevaba allí 13 años.

Observaron cómo Roosevelt colocaba el relleno alrededor de las guarniciones de alumbrado.

—¿Ves lo que está haciendo? —preguntó Brock.

—Bueno, sí...

—Lo que quiero decir es que mires lo que está haciendo con el relleno.

—Ya, lo está poniendo dentro.

—Sí, por supuesto..., pero ¿ves cómo *coge* ese relleno...? Lo levanta y lo deja caer..., es como tocar el piano.

—Pero eso no *protege* realmente los aparatos.

—Sí que los protege, porque lo está *esponjando*, ¿no lo ves?

Tom aspiró profundamente y soltó el aire despacio.

—Muy bien, Brock, lo esponjaré...

—A ver si es verdad...

Brock se llevó la mano izquierda hacia atrás y escarbó.

—Por cierto, ahora llevas un embalaje de menos respecto a
los demás...
—Claro. Has estado hablándome...
—Eso no importa. Tendrás que alcanzar a los otros.
Brock volvió a escarbar y después se fue.
Roosevelt se reía por lo bajo:
—*Esponjarlo*, ¡qué cabrón!
Tom se rió:
—¿Cuánta mierda tiene que aguantar un hombre sólo para
sobrevivir?
—Mucha —se oyó la respuesta— y más...

Tom volvió a su mesa y alcanzó a los demás en el montaje.
Y mientras Brock miraba, él «esponjaba». Y parecía que Brock
siempre estaba mirando.

Por fin llegó la hora del almuerzo: 30 minutos. Pero para muchos de los trabajadores la hora del almuerzo no significaba comer, significaba bajar a la cantina y cargarse de cerveza, lata tras
lata, para poder enfrentarse al trabajo de la tarde. A algunos les
ponía alegres, a otros les ponía tristes. A muchos les daba las
dos cosas, tristeza y alegría, que ahogaban en cerveza.
Fuera de la fábrica, en el parking, había más gente, sentada
en coches viejos, formando diferentes grupos. Los mexicanos en
unos y los negros en otros, y a veces, a diferencia de lo que suce-
de en las cárceles, se mezclaban. No había muchos blancos, sólo
unos pocos sureños silenciosos. Pero a Tom le caían bien todos
en general.
El único problema en aquel lugar era Brock.

Aquel día a la hora del almuerzo Tom estaba metido en su
coche bebiendo con Ramón.

Ramón abrió la mano y enseñó a Tom una enorme píldora amarilla. Parecía un caramelo de goma.

—Oye, colega, prueba esto. La mierda dejará de preocuparte. 4 o 5 horas se pasan como 5 minutos. Y te sentirás FUERTE, no habrá *nada* que te canse...

—Gracias, Ramón, pero ahora estoy demasiado jodido.

—Pero si esto es para *des-joderte*, ¿no quieres?

Tom no contestó.

—Muy bien —dijo Ramón—, yo ya me he tomado la mía, pero ¡me voy a tomar también la tuya!

Se metió la píldora en la boca, levantó la lata de cerveza y echó un trago. Tom observó aquella enorme píldora, la vio descender por la garganta de Ramón y después desaparecer.

Ramón se volvió lentamente hacia Tom y le sonrió abiertamente.

—¡Fíjate, esa mierda no me ha llegado aún a la barriga y *ya* me siento mejor!

Tom se rió.

Ramón bebió otro trago de cerveza, luego encendió un cigarrillo. Para ser un hombre que supuestamente se sentía muy bien, su aspecto era tremendamente serio.

—No, no soy un hombre..., no soy un hombre, para nada... Oye, anoche intenté follarme a mi mujer... Ha engordado 18 kilos este año... Tuve que emborracharme primero... Mete, saca, mete, saca y *nada*, tío... Lo peor de todo es que me daba lástima por *ella*... Le dije que era por el trabajo. Y *era* por el trabajo y no era. Ella se levantó y encendió la televisión...

Ramón continuó:

—Tío, todo ha cambiado. No hace ni un año o dos, a mí y a mi mujer todo nos parecía interesante y divertido... Llorábamos de risa por todo... Ahora todo eso se ha acabado... Se ha esfumado, no sé por qué...

—Ya sé a qué te refieres, Ramón...

Ramón se enderezó repentinamente, como si hubiese recibido una orden:

—¡Mierda, hombre, tenemos que fichar!

—¡Vamos!

Cuando Tom volvía de la línea de montaje con una pieza, Brock estaba esperándole. Brock dijo:

—Muy bien, déjalo ahí. Sígueme.

Se dirigieron hacia la zona de montaje.

Y allí estaba Ramón con su pequeño delantal marrón y su bigotito.

—Ponte a su izquierda —dijo Brock.

Brock levantó la mano y la maquinaria se puso en marcha. Transportaba las guarniciones de 2 metros hacia ellos a una velocidad sostenida y previsible.

Ramón tenía frente a él aquel enorme trozo de papel, un rollo aparentemente interminable de un pesado papel marrón. Llegó el primer aparato de luz procedente de la línea de montaje. Ramón rasgó un pliego de papel, lo extendió sobre la mesa y luego puso encima el aparato de luz. Rápidamente dobló el papel a lo largo y lo sujetó con un trozo de cinta adhesiva. Luego dobló el extremo izquierdo, formando un triángulo, después el extremo derecho y luego el aparato se desplazó hacia Tom.

Tom cortó un trozo de cinta adhesiva y la pegó cuidadosamente a lo largo de la parte superior del aparato, donde debía quedar sellado el papel. Después, con trozos más cortos, aseguró con fuerza el extremo izquierdo y luego el derecho. Entonces levantó el pesado aparato, giró, cruzó la nave y lo puso de pie en la estantería de la pared a la espera de un empaquetador. Volvió a la mesa donde ya se estaba desplazando hacia él otro aparato.

Era el peor trabajo de la planta y todos lo sabían.

—Ahora trabajarás con Ramón, Tom...

Brock se fue. No era necesario que se quedara a vigilarle: si Tom no realizaba bien su función, toda la cadena de montaje se pararía.

Nunca había durado nadie mucho tiempo como ayudante de Ramón.

—Sabía que ibas a necesitar aquella píldora amarilla —dijo Ramón con una amplia sonrisa.

Los aparatos llegaban incesantemente hasta ellos. Tom cortaba tiras de cinta adhesiva de la máquina que había frente a él. Era una cinta brillante, gruesa y húmeda. Hizo un esfuerzo para ajustarse al rápido ritmo de Ramón, pero para poder seguir a Ramón tenía que reducir un poco las precauciones: los afilados bordes de la cinta adhesiva le ocasionaban, de vez en cuando, cortes profundos en las manos. Los cortes eran casi invisibles y rara vez sangraban, pero al mirarse los dedos y la palma de las manos podía ver las líneas rojas y brillantes en la piel. Nunca había una pausa. Los aparatos parecían moverse cada vez más deprisa y ser cada vez más pesados.

—Joder —dijo Tom—, debería irme. ¿No sería mejor un banco en el parque que esta mierda?

—Claro —dijo Ramón—, claro, cualquier cosa es mejor que esta mierda...

Ramón trabajaba con una gran sonrisa de loco en el rostro, negando la imposibilidad de todo aquello. Y entonces las máquinas se pararon, como ocurría de vez en cuando.

¡Aquello sí que era un regalo de los dioses!

Algo se había atascado, algo se había recalentado. Si no fuera por aquellos desperfectos en la maquinaria, la mayoría de los trabajadores no habría aguantado. Durante aquellos 2 o 3 minutos de descanso recomponían sus sentidos y su alma. Casi.

Los mecánicos revolvían enloquecidos, buscando la causa de la avería.

Tom miró a las chicas mexicanas de la cadena de montaje. A él todas le parecían muy guapas. Malgastaban su tiempo, sus vidas, en trabajos rutinarios y aburridos pero *conservaban* algo, alguna cosa pequeñita. Muchas llevaban lacitos en el pelo: azules, amarillos, verdes, rojos... Y se gastaban bromas en voz baja y reían continuamente. Demostraban un gran valor. Había algo que sus ojos sabían.

Pero los mecánicos eran buenos, muy buenos, y la maquinaria

se estaba poniendo en marcha. Las piezas se dirigían otra vez hacia Tom y Ramón. De nuevo estaban todos trabajando para la Compañía Sunray.

Y, después de un rato, Tom se sintió tan cansado que sobrepasó el cansancio, era como estar borracho, como estar loco, era como estar borracho y loco.

Tom pegó con violencia un trozo de papel engomado sobre un aparato al tiempo que gritaba «¡SUNRAY!».

Podía haber sido su voz o la sirena de salida. De todos modos, todos empezaron a reírse: las chicas mexicanas, los empaquetadores, los mecánicos, hasta el vejete que iba de un lado a otro engrasando y revisando la maquinaria, todos reían; era de locos.

Apareció Brock.

—¿Qué está pasando aquí? —preguntó.

Se hizo un gran silencio.

Los aparatos iban y venían y los trabajadores continuaban.

Entonces, de repente, como si se despertase de una pesadilla, la jornada terminó. Se fueron hacia el panel de las tarjetas, las cogieron y esperaron en fila frente al reloj para fichar.

Tom marcó su tarjeta, la devolvió al panel y se encaminó hacia su coche. Arrancó y salió a la calle pensando «Espero que no se atraviese nadie en mi camino, creo que estoy demasiado débil para pisar el freno».

Mientras Tom volvía a casa, la aguja del marcador de gasolina iba deslizándose hacia el rojo. Estaba demasiado cansado para detenerse y echar gasolina.

Logró aparcar, llegó hasta la puerta, la abrió y entró.

Lo primero que vio fue a Helena, su mujer. Llevaba una bata ancha y sucia, estaba tumbada en el sofá con la cabeza sobre una almohada. Roncaba con la boca abierta. Tenía una boca bastante redonda y sus ronquidos eran una mezcla de ruidos de escupir y tragar, como si no pudiese decidirse entre escupir su vida o tragársela.

Era una mujer desdichada. Sentía que había desaprovechado su vida.

Sobre la mesita había una botella de ginebra. Tres cuartas partes habían desaparecido.

Los dos hijos de Tom, Rob y Bob, de 5 y 7 años, estaban tirando una pelota de tenis contra la pared. Era la pared que daba al sur, la que no tenía ningún mueble. Aquella pared había sido blanca una vez, pero ahora estaba sucia y llena de marcas del interminable golpeteo de las pelotas de tenis.

Los niños no prestaron atención a su padre. Habían parado de lanzar la pelota contra la pared y estaban discutiendo:

—¡CON ESE GOLPE TE HE DEJADO FUERA!

—¡NO, ESA PELOTA ERA LA CUARTA MALA!

—¡LA TERCERA BUENA!

—¡LA CUARTA MALA!

—¡Eh, esperad un momento! —dijo Tom—, ¿puedo preguntaros algo, chicos?

Pararon y le miraron fijamente, casi como si los hubiese insultado.

—¿Qué? —dijo finalmente Bob. Era el de 7 años.

—¿Cómo hacéis para jugar al *béisbol* lanzando la pelota contra la pared?

Miraron a Tom un momento, después pasaron de él.

—¡LA TERCERA BUENA!

—¡NO, LA CUARTA MALA!

Tom entró en la cocina. Había una olla blanca sobre el fuego. Echaba un humo negro. Tom levantó la tapa. En el fondo había una masa renegrida de patatas, zanahorias y trozos de carne quemados. Tom apartó la olla y apagó el fuego.

Después se dirigió hacia la nevera. Dentro había un bote de cerveza. Lo sacó, tiró de la anilla y echó un trago.

El ruido de la pelota de tenis contra la pared volvió a comenzar.

Luego, otro ruido: Helena. Se había dado contra algo. De pronto estaba allí, de pie en la cocina. Llevaba la botella de ginebra en la mano derecha.

—Supongo que estarás furioso, ¿no?

—Esperaba que por lo menos hubieras dado de comer a los niños...

—No me das más que veinte cochinos dólares al día. ¿Qué esperas que haga con veinte cochinos dólares?

—Por lo menos compra papel higiénico. Cada vez que voy a limpiarme el culo miro alrededor y lo único que veo es el tubo de cartón colgando.

—¡Oye, una mujer también tiene *sus* problemas! ¿CÓMO CREES QUE VIVO? ¡Tú sales al *mundo*, te las arreglas para salir y ver el mundo! ¡Yo tengo que quedarme *aquí* sentada! ¡No sabes lo que es eso un día tras otro!

—Ya..., bueno, dejémoslo...

Helena dio un trago de su ginebra.

—Sabes que te quiero, Tommy, y que cuando no estás bien me duele, me duele el corazón, es así.

—Está bien, Helena, vamos a sentarnos aquí y a tranquilizarnos.

Tom se dirigió hacia la mesa del rincón y se sentó. Helena llevó su ginebra y se sentó frente a él. Lo miró.

—¡Dios mío! ¿Qué te ha pasado en las manos?

—Me han cambiado de puesto. Tengo que encontrar un modo de protegerme las manos... Esparadrapo, guantes de goma..., algo...

Había acabado su lata de cerveza.

—Oye, Helena, ¿tienes más ginebra por ahí?

—Claro, creo que sí...

La observó mientras iba hacia el armario, buscaba en lo alto y bajaba una botella. Regresó con la ginebra, se volvió a sentar. Tom quitó el precinto de la botella.

—¿Cuántas más tienes por ahí?

—Algunas...

—Bien. ¿Cómo te bebes esto? ¿Directamente?

—Puedes hacerlo...

Tom dio un buen trago. Después bajó la mirada a sus manos, abriéndolas y cerrándolas, observando cómo se abrían y cerraban las rojas heridas. Eran fascinantes.

Cogió la botella, se echó un poco de ginebra en la palma de la mano y luego la frotó contra la otra.

—¡Uff! ¡Esta mierda quema!

Helena dio otro trago de su botella.

—Tom, ¿por qué no te buscas otro trabajo?

—¿Otro trabajo? ¿Dónde? Hay cien tipos que quieren el *mío*...

Entonces Rob y Bob entraron corriendo. Patinaron en el suelo y frenaron contra la mesa.

—Eh —dijo Bob—, ¿cuándo *comemos*?

Tom miró a Helena.

—Creo que hay algunos perritos calientes —dijo ella.

—¿Otra vez perritos calientes? —preguntó Rob—. *¿Perritos calientes? ¡Odio los perritos calientes!*

Tom miró a su hijo.

—Eh, chico, tranquilo...

—Bien —dijo Bob—, entonces, ¿qué tal si nos tomamos una copa de puta madre?

—¡Gilipollas! —chilló Helena.

Extendió el brazo con la mano abierta y le dio un buen bofetón a Bob en la oreja.

—No pegues a los críos, Helena —dijo Tom—, ya recibí yo demasiado cuando era pequeño.

—¡No me digas cómo tengo que tratar a mis hijos!

—También son míos...

Bob estaba allí de pie. Tenía la oreja muy roja.

—Así que quieres una copa de puta madre, ¿eh? —le preguntó Tom.

Bob no contestó.

—Ven aquí —dijo Tom.

Bob se acercó a su padre. Tom le alcanzó la botella.

—Venga, bebe. Bébete tu copa de puta madre.

—Tom, ¿qué estás *haciendo*? —preguntó Helena.

—Venga... bebe —dijo Tom.

Bob levantó la botella, dio un trago. Luego devolvió la botella y se quedó allí de pie. De repente se puso pálido, hasta la oreja roja empezó a palidecer. Tosió.

—¡Esta cosa es HORRIBLE! ¡Es como beber *perfume*! ¿Por qué os lo *bebéis*?

—Porque somos tontos. Tienes unos padres tontos. Ahora vete a tu habitación y llévate a tu hermano contigo...

—¿Podemos ver la tele allí? —preguntó Rob.

—Está bien, pero marchaos ya...

Salieron en fila.

—¡No vas a convertir a mis hijos en unos *borrachos*! —dijo Helena.

—Sólo espero que tengan mejor suerte que nosotros en la vida.

Helena dio otro trago de su botella. Con ése la acabó.

Se levantó, cogió la olla quemada de encima de la cocina y la tiró dentro de la pila.

—¡Mierda, no *hace falta* hacer tanto ruido! —dijo Tom.

Helena parecía estar llorando.

—Tom, ¿qué vamos a *hacer*?

Echó agua caliente dentro de la olla.

—¿Hacer? —preguntó Tom—. ¿Sobre qué?

—¡Sobre la forma en que tenemos que *vivir*!

—No hay muchas cosas que *podamos* hacer.

Helena raspó la comida quemada del fondo de la olla y echó un poco de jabón, después abrió el armario y sacó otra botella de ginebra. Se acercó, se sentó frente a Tom y quitó el precinto a la botella.

—Tengo que dejar la olla en remojo con jabón un rato... En un momento preparo los perritos calientes...

Tom bebió de su botella, la puso sobre la mesa.

—Nena, no eres más que una vieja borracha, una vieja olla borracha...

Las lágrimas seguían allí.

—Sí, bueno, y ¿*quién* crees que me ha *hecho* así? ¡ADIVINA!

—Eso es fácil —contestó Tom—, dos personas: tú y yo.

Helena dio el primer trago de la botella recién abierta. Con eso, por fin, desaparecieron las lágrimas. Sonrió levemente.

—¡Eh, tengo una idea! Puedo conseguir un trabajo de cam.
rera o algo así... Tú puedes descansar un poco, entiendes... ¿Qué
te parece?

Tom estiró el brazo por encima de la mesa y puso su mano
sobre la de Helena.

—Eres una buena chica, pero dejémoslo todo como está.

Entonces volvieron a asomar las lágrimas. Helena era buena
en lo de las lágrimas, sobre todo cuando bebía ginebra.

—Tommy, ¿sigues queriéndome?

—Claro, nena, cuando estás en plena forma eres maravillosa.

—Yo también te quiero, Tom, ya lo sabes...

—Claro, nena, ¡brindemos por eso!

Tom levantó su botella. Helena levantó la suya.

Hicieron chocar las botellas de ginebra en el aire, después cada
uno bebió a la salud del otro.

En la habitación, Rob y Bob tenían puesta la tele, la tenían
puesta muy *alta*. De fondo había una grabación de risas y la gente de la grabación se reía y se reía y se reía,

y se reía.

En aquella pensión de mala muerte los ronquidos, como siempre, eran escandalosos. Tom no podía dormir. Debía de haber 60 camas y todas estaban ocupadas. Los borrachos eran los que más alto roncaban, y la mayoría de los allí reunidos estaban borrachos. Tom se incorporó y observó la luz de la luna que entraba por las ventanas y caía sobre los hombres dormidos. Lió un cigarrillo, lo encendió. Volvió a mirar a los hombres otra vez. Vaya un puñado de tipos horribles inútiles y jodidos. ¿Jodidos? Ésos no jodían nada. Las mujeres no los querían. Nadie los quería. No valían ni un polvo, ja, ja, ja. Y él era uno de ésos. Sacó la botella de debajo de la almohada y dio un último trago. Aquella última cosa siempre era triste. Hizo rodar el casco vacío debajo de la cama y observó otra vez a aquellos hombres que roncaban. Ni siquiera valía la pena tirarles una bomba encima.

Tom miró a su amigo Max, que estaba en el catre contiguo. Max estaba allí tumbado con los ojos abiertos. ¿Estaría muerto?

—¡Eh, Max!

—¿Hmmm?

—No duermes.

—No puedo. ¿Te has dado cuenta? Hay muchos que roncan rítmicamente. ¿Por qué será?

—No lo sé, Max. Hay un montón de cosas que no sé.

—Yo tampoco, Tom. Supongo que soy un poco tonto.

—¿Lo supones? Si supieras que eres tonto, no lo serías.

Max se sentó en el borde de su catre.

—Tom, ¿crees que alguna vez saldremos de este jaleo?

—Sólo de una forma...

—¿Sí?

—Sí..., *fiambres*.

Max lió un cigarrillo, lo encendió.

Max se sentía mal, siempre se sentía mal cuando pensaba en cosas. Lo que había que hacer era no pensar, desconectar.

—Oye, Max —oyó decir a Tom.

—¿Sí?

—He estado pensando...

—Pensar no es bueno...

—Pero esto no puedo dejar de pensarlo.

—¿Te queda algo de beber?

—No, lo siento. Pero escucha...

—Mierda, ¡no quiero escuchar!

Max volvió a tumbarse en su catre. Hablar no servía para nada. Era una pérdida de tiempo.

—Te lo voy a decir de todas formas, Max.

—Está bien, joder, venga...

—¿Ves todos esos tipos? Hay un montón, ¿no? Vagabundos por todas partes.

—Ya, los veo hasta en la sopa...

—Por eso, Max, no hago más que pensar cómo podríamos hacer para utilizar esa mano de obra. Es que se está desaprovechando.

—Nadie quiere a esos vagabundos. ¿Qué puedes hacer *tú* con ellos?

Tom se sintió ligeramente entusiasmado.

—El hecho de que nadie quiera a esos tipos nos da ventaja.

—¿Tú crees?

—Claro. Mira, en las cárceles no los quieren porque tendrían que darles alojamiento y comida. Y esos vagabundos no tienen un sitio adonde ir ni nada que perder.

—¿Y qué?

—He estado pensando mucho por las noches. Por ejemplo, si pudiéramos juntarlos a todos, como ganado, podríamos hacer que arrasaran ciertas cosas. Dominar temporalmente algunas situaciones...

—Estás loco —dijo Max.

Pero se incorporó en su cama.

—Sigue...

Tom se rió.

—Bueno, quizá esté loco, pero no puedo dejar de pensar en esa mano de obra desperdiciada. He estado tumbado aquí durante muchas noches soñando con las cosas que podrían hacerse con ella...

Ahora fue Max quien rió.

—¡Como qué, por el amor de Dios!

Nadie se inmutó por aquella conversación. Los ronquidos continuaban a su alrededor.

—Bueno, he estado dándole vueltas a la cabeza. Sí, tal vez sea una locura, pero...

—¿Qué? —preguntó Max.

—No te rías. Quizá el vino me haya destruido el cerebro.

—Intentaré no reírme.

Tom dio una calada a su cigarrillo, luego soltó el humo.

—Bueno, mira, yo tengo esta imagen de todos los vagabundos que podamos encontrar, bajando a pie por Broadway, aquí mismo en Los Ángeles, miles de ellos juntos, andando codo a codo...

—Bueno, ¿y...?

—Bueno, son un montón de tipos. Como una especie de venganza de los malditos. Un desfile de desechos. Es casi como una película. Puedo ver las cámaras, las luces, el director. La Marcha de los Fracasados. ¡La Resurrección de los Muertos! ¡Increíble, hombre, increíble!

—Creo —respondió Max— que deberías dejar el oporto y volver al moscatel.

—¿De veras?

—Sí. Vale. Así que tenemos a todos esos vagabundos atravesando Broadway, digamos que al mediodía, ¿y después, qué?

—Bueno, los dirigimos hacia los almacenes más grandes y mejores de la ciudad...

—¿Te refieres a *Bowarms*?

—Sí, Max. Bowarms tiene de todo: los mejores vinos, la ropa más elegante, relojes, radios, televisores; tú pide, que ellos lo tienen...

Justo entonces un viejo que estaba unos catres más allá se incorporó, abrió los ojos como platos y gritó: «¡DIOS ES UNA NEGRA LESBIANA DE 180 KILOS!»

Luego se desmoronó en su catre.

—¿Lo llevamos? —preguntó Max.

—Claro. Es uno de los mejores. ¿Qué cárcel lo querría?

—Vale, entramos en Bowards, y entonces, ¿qué?

—Imagínatelo. Será entrar y salir. Seremos demasiados como para que el servicio de seguridad pueda controlar el asunto. Imagínatelo: entras y coges. Cualquier cosa que se nos antoje. Quizá hasta tocarle el culo a una dependienta. Cualquier parte de ese sueño que ya no tenemos, entras y lo coges, cualquier cosa, y después nos vamos.

—Tom, puede que vuelen muchas cabezas. No va a ser un picnic en el país de las maravillas...

—No, ¡pero tampoco lo es esta vida que llevamos! Esta forma de consentir que nos entierren, para siempre, sin protestar siquiera...

—Tom, chico, creo que no está mal lo que dices. Pero ¿cómo vamos a hacer para organizar este asunto?

—Bien, primero fijamos una fecha y una hora. Entonces, ¿conoces a una docena de tipos que puedas reclutar?

—Creo que sí.

—Yo también conozco alrededor de una docena.

—Supón que alguien le da el soplo a los polis.

—No es probable. De todas formas, ¿qué podemos perder?

—Es verdad.

Era mediodía.

Tom y Max iban a la cabeza de todo el grupo. Iban bajando por Broadway, en Los Ángeles. Había más de 50 vagabundos andando detrás de Tom y Max. Cincuenta vagabundos o más pestañeando asombrados, tambaleándose, no muy seguros de lo que estaba sucediendo. Los ciudadanos corrientes que iban por la calle estaban atónitos. Paraban, se hacían a un lado y observaban. Algunos estaban asustados, otros se reían. A otros les parecía una broma o la filmación de una película. El maquillaje era perfecto: los actores parecían vagabundos. Pero ¿dónde estaban los cámaras?

Tom y Max dirigían la marcha.

—Oye, Max, yo se lo dije solamente a 8. ¿A cuántos avisaste tú?

—A 9, quizás.

—Me pregunto qué demonios habrá pasado.

—Se lo habrán dicho unos a otros...

Seguían marchando. Era como un sueño enloquecido que no podía detenerse. En la esquina con la Séptima Avenida el semáforo se puso rojo. Tom y Max pararon y los vagabundos se apiñaron detrás de ellos, esperando. El olor a ropa interior y calcetines sucios, a alcohol y mal aliento, se extendió por el aire. El dirigible de Goodyear volaba en inútiles círculos por encima de sus cabezas. La contaminación, de un gris azulado, se posaba en la calle.

Entonces el semáforo se puso verde. Tom y Max siguieron andando. Los vagabundos los siguieron.

—Aunque fui yo quien imaginó esto —dijo Tom—, no puedo creer que esté pasando de verdad.

—Pues está pasando —dijo Max.

Había tantos vagabundos detrás de ellos que algunos aún estaban cruzando la calle cuando el semáforo volvió a ponerse rojo.

Pero siguieron cruzando, deteniendo el tráfico, algunos abrazados a sus botellas de vino o bebiendo de ellas. Iban marchando juntos pero no había ninguna canción para aquella marcha. Sólo el silencio, a no ser por el ruido del arrastre de zapatos viejos sobre el pavimento. Sólo de vez en cuando hablaba alguien.

—Eh, ¿adónde coño vamos?

—¡Dame un trago de eso!

—¡A tomar por culo!

El sol pegaba fuerte.

—¿Tú crees que debemos continuar con esto? —preguntó Max.

—Me sentiría bastante mal si ahora nos volviéramos —afirmó Tom.

Entonces llegaron frente a Bowarms.

Tom y Max se detuvieron un momento.

Después empujaron juntos las impresionantes puertas de cristal.

El montón de vagabundos entró tras ellos en una fila larga y deshilachada. Avanzaban por los elegantes pasillos. Los dependientes los miraban sin comprender del todo.

El departamento de Caballeros estaba en la primera planta.

—Ahora —dijo Tom— tenemos que dar ejemplo.

—Sí —dijo Max vacilante.

—¡Venga, Max!

—Huy, huy, huy...

Los vagabundos se habían parado y los miraban. Tom dudó un instante, luego se dirigió a un colgador de abrigos, descolgó el primero, un modelo de cuero amarillo con cuello de piel. Tiró al suelo su abrigo viejo y se deslizó dentro del nuevo. Un dependiente, un hombrecillo pulcro con un bigote bien cuidado, se acercó.

—¿Qué desea, señor?

—Me gusta éste y me lo quedo. Cárguelo en mi cuenta.

—¿American Express, señor?

—No, China Express.

—Y yo me llevo ésta —dijo Max, metiéndose dentro de una cazadora de piel de lagarto con bolsillos laterales y una capucha bordeada de piel contra las inclemencias del tiempo.

Tom cogió un sombrero de una estantería, un modelo de cosaco, un poco ridículo, pero con cierto encanto.

—Éste le va bien a mi color de piel; me lo llevo.

Aquello puso a los vagabundos en marcha. Avanzaron y comenzaron a ponerse abrigos y sombreros, bufandas, gabardinas, botas, jerséis, guantes, diferentes accesorios.

—¿Al contado o a plazos, señor? —preguntó una voz asustada.

—Cóbraselo a mi agujero del culo, gilipollas.

O en otro mostrador:

—Creo que ésa es su talla, señor.

—¿Lo puedo cambiar dentro de los primeros 14 días si no estoy conforme?

—Claro, señor.

—Pero puede que dentro de 14 días usted esté muerto.

Entonces comenzó a sonar una alarma general. Alguien se había dado cuenta de que la tienda estaba siendo invadida. Los clientes, que habían estado observando con desconfianza, se apartaron.

Llegaron tres hombres corriendo, vestidos con unos trajes grises de muy mal corte. Eran hombres voluminosos pero tenían más grasa que músculos. Se abalanzaron sobre los vagabundos para echarles de la tienda. Sólo que había demasiados vagabundos. Y desaparecieron entre aquella muchedumbre. Pero mientras peleaban, maldiciendo y amenazando, uno de los guardias echó mano a la pistola. Hubo un disparo, pero fue un gesto estúpido o inútil, y el tipo fue rápidamente desarmado.

De pronto, un vagabundo apareció en la parte superior de las escaleras mecánicas. Tenía la pistola. Estaba borracho. Nunca había tenido una pistola. Pero le gustaba. Apuntó y apretó el gatillo. Le dio a un maniquí. La bala le atravesó el cuello. La cabeza cayó al suelo: la muerte de un esquiador de Aspen.

La muerte de este objeto pareció despertar a los vagabundos. Hubo una ruidosa ovación. Se esparcieron escaleras arriba y por toda la tienda. Gritaban incoherentemente. Por un momento toda la frustración y el fracaso desaparecieron. Les brillaban los ojos y sus movimientos eran rápidos y llenos de seguridad. Era una escena curiosa, rara, desagradable.

Se movían rápidamente de un piso a otro, de una zona a otra. Tom y Max ya no dirigían, eran arrastrados con los demás. Ahora saltaban por encima de los mostradores, rompían cristales. En el mostrador de los cosméticos una jovencita rubia dio un grito a la vez que levantaba los brazos. Eso atrajo la atención de uno de los vagabundos más jóvenes, que le levantó el vestido y gritó: «¡HALA!»

Otro vagabundo se acercó y agarró a la chica. Entonces vino otro corriendo. Pronto hubo un montón alrededor de ella, arrancándole la ropa. Era muy desagradable. Sin embargo, inspiró a otros vagabundos. Empezaron a correr tras las dependientas.

Tom buscó un mostrador que todavía estuviera entero, se subió encima y empezó a gritar.

«¡NO! ¡ESTO NO! ¡PARAD! ¡NO ERA ESTO A LO QUE ME REFERÍA!»
Max estaba de pie junto a Tom.

—Ah, mierda —dijo en voz baja.

Los vagabundos no se calmaban. Arrancaban cortinas, volcaban las mesas. Continuaban destrozando los mostradores de cristal. También había un gran griterío.

Algo se rompió con enorme estruendo.

Después se inició un fuego, pero aquellos hombres seguían con el saqueo.

Tom se bajó del mostrador. Todo aquel episodio no había durado más de cinco minutos. Miró a Max.

—¡Vámonos cagando leches!

Otro sueño que se había ido a la mierda, otro perro muerto en la carretera, más pesadillas de miseria.

Tom empezó a correr y Max le siguió. Bajaron por las escaleras mecánicas. Mientras bajaban, la policía subía corriendo por la escalera contigua. Tom y Max seguían llevando sus abrigos nuevos. Si no hubiese sido por sus rostros colorados y sin afeitar, su aspecto habría sido casi respetable. En la primera planta se mezclaron con el gentío. Había policías en las puertas. Dejaban salir a la gente, pero no dejaban entrar a nadie.

Tom había robado un puñado de puros. Le dio uno a Max.

—Toma, enciéndelo. Trata de parecer respetable.

Tom encendió uno para él.

—Ahora vamos a ver si logramos salir de aquí.

—¿Crees que podremos engañarles, Tom?

—No sé. Intenta parecer un corredor de Bolsa o un médico...

—¿Qué aspecto tienen?

—Satisfecho y estúpido.

Fueron hacia la salida. No hubo problemas. Fueron conducidos hacia el exterior junto con otros. Oyeron disparos dentro del edificio. Miraron hacia arriba. Se veían llamas en una de las ventanas superiores. En seguida oyeron acercarse las sirenas de los bomberos.

Giraron hacia el sur y regresaron a los barrios bajos.

Esa noche eran los dos vagabundos mejor vestidos de aquella pensión de mala muerte. Max había robado incluso un reloj. Sus manecillas brillaban en la oscuridad. La noche acababa de empezar. Se tumbaron en sus catres mientras comenzaban los ronquidos.

La pensión estaba de nuevo repleta, a pesar de los arrestos en masa de aquella tarde. Siempre había suficientes vagabundos para llenar cualquier vacante.

Tom sacó dos puros, le pasó uno a Max. Los encendieron y fumaron en silencio durante un rato. Pasados unos minutos, habló Tom.

—Eh, Max...

—¿Sí?

—Yo no quería que fuese de esa forma.

—Ya lo sé. No te preocupes.

Los ronquidos iban subiendo gradualmente de volumen. Tom sacó una botella de vino sin abrir de debajo de su almohada. La destapó, echó un trago.

—¿Max?

—¿Sí?

—¿Un trago?

—Claro.

Tom pasó la botella. Max echó un trago y se la devolvió.

—Gracias.

Tom deslizó la botella debajo de su almohada.

Era moscatel.

ACCIÓN

Henry Baroyan pasó entre el Cadillac y el Porsche, se puso tranquilamente a 120 y dio una calada a su puro, aspirando, pensando quizá hoy tenga un poco de suerte, joder, buena falta me hace. El BMW tenía 5 años pero todavía funcionaba bien. Había pagado 88 pavos por el impuesto de circulación aunque luego perdió el recibo. Siempre perdía los recibos. Siempre lo perdía todo. Incluso el Premio Pulitzer. Hacía diez años, cuando estaba en la cumbre, lo había rechazado, declarando que él ya tenía el único premio que necesitaba un escritor.

Se había casado dos veces con la misma mujer. Había perdido 350.000 dólares en el hipódromo. No había podido pagar sus impuestos. Le quitaron la casa, le quitaron todo. Sólo le dejaron el coche, la máquina de escribir y la mujer. Dinero que debía a Hacienda: 440.000 dólares. ¿Cómo llegaron las cosas a ese punto? Henry solía pagar un 6 % de interés sobre los impuestos atrasados, ahora pagaba un 16 %. Y él era aquel tipo que solía escribir relatos sobre un personaje que escribía en un cuarto pequeño y se moría de hambre. ¡Qué bien le iba entonces! Ahora debía más dinero que el que jamás podría ganar. Estaba en la ruina, el gobierno estaba en la ruina, el mundo estaba en la ruina. ¿Quién coño *tenía* el maldito dinero?

—¿Otra vez vas a ir a ese jodido hipódromo? —había preguntado Traci. Traci era su mujer.

—Tengo que hacerlo, nena. Es lo que hace funcionar la máquina de escribir. Necesito acción.

—Puedes escribir sin necesidad de apostar. No seas tonto. No te hundas más de lo que ya lo estás.

—¿Qué diferencia hay entre deber 440.000 o 940.000 dólares?

—Una diferencia de 500.000 dólares.

—¡Qué chica tan lista! Me voy.

—¡Eres absolutamente *gilipollas*!

Y lo peor de todo era que ya no podía escribir. Ahora era Larry Simpson quien escribía sus cosas. No escribía igual que Henry *ni de lejos*. Larry escribía para otros. Pero el nombre Baroyan todavía vendía mucho. Larry era su negro. Y Larry se llevaba el 40 %.

Quizá algún día pueda volver a hacerlo, pensaba Henry. Quizá un buen día el hipódromo haga que me recupere.

Hablando del hipódromo, ya había llegado. Estaba en el aparcamiento. Todos los encargados le conocían. Paró donde estaba el gordo con el transistor. El encargado estaba escuchando a Madonna. Quizá algún día *también* Madonna se quede con el culo al aire. El tipo le extendió el ticket del aparcamiento y Henry le dio 6 pavos.

—¿Vas ganando, campeón? —preguntó el gordo.

—No está mal —contestó Henry, luego arrancó y siguió la línea azul hacia el aparcamiento.

Cuando llegó dejó allí el coche sin coger ningún ticket. Conocían aquel coche. Sólo había un tipo que conducía un BMW negro del 79 con los faros antiniebla delanteros arrancados.

Los encargados siempre aparcaban su coche por allí cerca, y cuando lo veían salir, justo antes de la última carrera (a él le gustaba salir antes de que lo hiciera el gentío), uno de los chicos lo tenía ya en marcha, esperándolo. No sabían que él era un jodido pelagatos. Los días que perdía les daba un billete de 5 dólares por su servicio. Cuando ganaba daba más. La mayor parte de los días recibían 5 dólares.

Uno de los encargados del aparcamiento lo vio. Era Bob. Bob era un poco más despierto que los otros.

—Eh, Hank —dijo—, si hoy no es mi día, espero que sea el tuyo.

—Gracias, Bob, quizá nos toque a los dos.

—Claro —dijo—, y quizá las liebres se vayan a bucear con escafandra.

Henry enseñó su pase en la ventanilla del club y entró. Cogió el programa y el Racing Form. Atravesó el club y salió a la zona de tribunas. Él iba con los pobres, era más pobre que cualquiera de ellos.

Fue a su bar preferido. Rusty estaba detrás de la barra. Rusty también apostaba.

—Vodka-7, Rusty.

—Muy bien... El programa de hoy parece estupendo, Hank.

—Todavía no lo he abierto.

—Oye, tengo una buena para ti.

—No quiero oírla.

—Es en la 3.ª, en la carrera para caballos que nunca han ganado. Ya sabes que ésas están todas amañadas. Los caballos ganan por diez cuerpos.

—No me pases un caballo con buenos galopes en los entrenamientos. Son una mierda.

—Oye, a éste lo han trabajado en secreto, incluso antes del cronometraje. Pagará por lo menos 15 a 1. Nadie lo sabe.

Henry vació su vodka.

—¿Y tú cómo lo sabes?

—Alguien me debe un favor.

—¡Jesús! ¿A ti también?

Rusty se inclinó hacia adelante y susurró:

—Red Window en la 3.ª.

Henry sacó el dinero de su bebida, más la propina.

—Una gilipollez.

—No —dijo Rusty—, esta vez no. Y ahora invito yo.

Volvió a llenar el vaso de Henry.

—Gracias, Rusty.

—¿Qué tal lo que estás escribiendo?

—Podría estar mejor —contestó Henry, vaciando su vaso.

Entonces se puso en camino, dirigiéndose hacia las escaleras mecánicas que conducían a la terraza. Al pie de la escalera, donde daba el sol, había un negro viejo con ojos grandes y amables.

—Eh, hombre —dijo—. ¿No nos conocemos?

—No, a no ser que seas de Hacienda.

—No. Te he visto en el metro o a lo mejor en alguna película.

—En una porno, hace mucho tiempo.

—No, hombre, yo conozco tu cara.

—Me confundes con otro.

Henry pasó por delante y subió a la escalera mecánica.

—No, hombre —gritó el viejo a sus espaldas—, no me engañas, ¡te he visto en alguna serie de televisión!

Henry miró hacia atrás.

—Me confundes con otro, hermano...

En el segundo piso Henry fue al bar y compró una lata grande de cerveza. Se la llevó a su asiento y echó un trago. Sintió náuseas. Aquella mierda necesitaba madurar. Había que pensarlo detenidamente. Abrió el programa y estudió la primera carrera. No apostaría a esos caballos que vienen de atrás o que han bajado de categoría. Necesitaba uno que fuese a la cabeza. Uno rápido. Si hay que perder, mejor perder delante.

Notó que un joven se le acercaba. Después vio las piernas frente a él. Las piernas estaban simplemente allí, de pie. Henry no alzó la mirada. Entonces se oyó una voz. Una voz joven.

—Discúlpeme, no quiero molestarle, pero ¿no es usted Henry Baroyan, el escritor?

—No, soy su primo André.

—¡Ah, venga! ¡Yo le conozco! Lo estudiamos en Literatura Moderna en el Long Beach State.

—Sólo me dedico a apostar a los caballos.

—Pero hombre, usted es uno de mis escritores favoritos.

—¿Ah, sí? ¿Quiénes son los otros?

—Burroughs, Ginsberg, Genet, Bowles...

—Esfúmate.

—Oiga, señor Baroyan, hágame un favor. ¿Me firma un autógrafo en el programa?

—Está bien. ¿Dónde?

—Aquí... delante..., y haga uno de sus pequeños dibujos. Ya sabe, esos dibujitos que usted hace.

El chico le dio el programa a Henry. Era un chico blanco y suave, perdido en sus sueños previos a la realidad. Un chico simpático, un chico simpático...

«Nunca apuestes a un caballo que cague al acercarse al cajón de salida», escribió. Después buscó un sitio en el margen, firmó, dibujó un retrato de un rocín haciendo sus necesidades. Devolvió el programa.

—Muchas gracias, en serio... —dijo el chico, y se fue.

Tal vez, pensó Henry, pueda escribir un relato sobre el hipódromo. Ese jodido Larry Simpson sólo sabe escribir sobre Mardi Gras, carreras de serpientes de cascabel, ahogados frente a las costas de Argentina o políticos enamorados de terriers irlandeses. También sobre sueños acaramelados acerca de un mundo libre y maravilloso.

Entonces —así, de repente— llegó la hora de la primera carrera. Henry fue hacia las colas donde estaban todos: los solitarios y los dementes, las feas sin remedio con sus tacones gastados y aquellos rostros a los que todo les había sido robado hacía ya mucho tiempo, todo menos la determinación de continuar sin esperanza, sin melodía o sin una máxima expectativa de victoria siquiera.

Cuando la muerte venga a buscarnos, pensó Henry, nos escupirá como huesos limpios, acabados hace tiempo, secos y duros y... ¿qué? Y nada.

Entonces, mientras Henry estaba haciendo cola, Marsden apareció corriendo. Marsden había sido taquillero pero hizo un trapicheo ilegal con la máquina y perdió el puesto. Sin embargo, le seguían admitiendo en el hipódromo. Y Marsden le había echado muchas veces una mano a Henry, especialmente en las apuestas de trotones, en las que el dinero, caliente y en grandes cantidades, entraba tan tarde y tan rápido que era casi imposible participar en la acción. Marsden solía marcar un ticket de 50 a ganador para él, mirando hacia el final de la larga cola en la que se encontraba Henry, y señalaba el número del caballo. Marsden y las carreras de trotones habían resultado provechosas para Henry.

Marsden llevaba ropa hecha a medida, parecía estar siempre feliz, reía a menudo..., un hijo de puta encantador que tenía muchos problemas con las mujeres. Más incluso que Henry.

Marsden estaba allí de pie con su elegante atuendo.

—¡Eh, chico!

Había alguien con él. Otro tipo bien vestido.

—Éste es mi abogado.

El mundo estaba bien. Se dieron la mano. El mundo estaba bien y era una broma. El abogado se fue hacia el bar.

—Oye, chico —dijo Marsden—, sé que eres un jugador. Sé que sabes quién va a entrar primero. Pásame el dato.

—Esto no es la carrera de trotones, Mars...

—¡A tomar por culo! Pásame el dato.

—El que más me gusta es el 9.

—¡Eso! ¡Eso! ¡LO HE OÍDO! ¡Ya me dijeron que no podía *perder*! Oye, déjame cincuenta. Hace un rato he venido por aquí y he oído hablar del 9. ¡Déjame cincuenta, por favor!

—Me pones contra la pared, Mars. Lo más que puedo dejarte es un billete de 20.

—Vale...

Henry le dio los 20 y Marsden se fue.

Cuando quedaban 3 apostantes entre Henry y la ventanilla se oyó anunciar por los altavoces: «Por orden de los comisarios, Happy Hour ha sido retirado.»

Happy Hour era el caballo número 9.

Joder, pensó Henry. Entonces ya estaba frente al encargado de las apuestas.

—Veinte a ganador al 5 —dijo.

Salió a ver la carrera. Cuando la estaba viendo, lo oyó: «¡Hot Watch se ha quedado en la salida!»

Hot Watch era el 5.

Henry se puso a dar vueltas mientras la carrera continuaba. Pensó que tal vez pudiese encontrar a Marsden. Quizá Marsden le devolviese los 20. Era una cuestión de principios. Y un billete de 20 podía cambiarle la vida. Bueno, tal vez no cambiarla pero sí ayudar un poco en la lucha imposible.

Pero no pudo encontrar a Marsden. No pudo encontrar a nadie que se pareciera siquiera un poco a Marsden. Ni siquiera se parecían a sí mismos. Todos parecían animales aplastados, como si una apisonadora les hubiera pasado por encima. Incluso las mujeres. Especialmente las mujeres.

Se metió más entre la multitud mientras ellos seguían atentos al curso de la carrera.

Las mujeres de los pobres. ¡Dios! ¡Qué desconsiderado por su parte pensar en ellas de aquel modo! Muchas tendrían probablemente geranios pequeños y les gustarían las plantas. Y retoños drogados, cogidos in fraganti, que se estarían pudriendo ahora en esas celdas remotas de todo el mundo en las que las ratas nunca sonreían.

Bueno, mierda, el día no había acabado. Ningún día acababa hasta que acababa. La esperanza renacía siempre como las setas venenosas.

Entonces terminó la carrera. Se había corrido un petardo de 26 a 1, un caballo rapidísimo que venía de Caliente. La mayoría de la gente no parecía muy feliz. Había muchos mexicanos y negros entre la multitud, esperando acertar, esperando romper sus cadenas. Nunca lo harían. Lo único que hacían era añadir nuevos eslabones a sus cadenas. Los blancos eran los que parecían más lastimosos y blandengues, con ojos de furia tremenda. La mayoría eran hombres. Sin embargo, hay una cosa curiosa respecto a los hombres blancos: son un material maravilloso para los escritores. Se puede escribir todo lo que uno quiera sobre el hombre blanco norteamericano y nunca protesta nadie. Ni siquiera el hombre blanco norteamericano. Pero si se escribe algo desagradable sobre cualquier otra raza o clase o sexo, los críticos y el público se ponen furiosos y las cartas llenas de odio comienzan a amontonarse aun cuando parezca que el libro se sigue vendiendo bien. Para odiarte, primero tienen que leerte. Se mueren de ganas de saber qué es lo que vas a decir ahora sobre su mundo. Mientras que al hombre blanco norteamericano le importa un carajo lo que se diga sobre él porque domina el mundo; de momento, al menos.

Un hombre blanco y grande iba hacia Henry, sonriendo levemente. Henry comenzó a dirigirse hacia otra parte.

—¡Eh! —dijo el tipo.

Henry se volvió y esperó.

El tipo grande llegó hasta él y se detuvo demasiado cerca. Henry retrocedió.

—Me llamo Monty Edwards —dijo—, soy agente de jockeys.

—Vaya, eso está muy bien —dijo Henry—, pero no puedo montar para usted, peso 102 kilos.

—¿No es usted Henry Baroyan, el escritor?

—Bueno, sí.

—Bernard Loft es entrenador. Lee sus cosas y le gustan. Le gustaría conocerle.

—Dígale que le mando un saludo.

—Eh, venga, no sea cabrito, quiere conocerle.

—Vale, ¿dónde está?

—Sígame.

Henry siguió a Edwards hacia la parte este de la tribuna, pasaron frente al acomodador y entraron en los palcos. El sector de palcos era otra cosa: estaba lleno de propietarios, entrenadores, agentes de jockeys, ex jockeys y desechos del mundo de las carreras. Parecían un poco más tranquilos que el gentío de las tribunas. Iban mejor vestidos y no deambulaban demasiado de un lado a otro. Estaban de pie en grupos pequeños, hablando pausadamente.

Henry siguió a Edward hasta un palco de abajo. Un tipo se

puso de pie. Iba muy bien vestido. Le brillaban los zapatos. La corbata suelta, azul plateado.

—Baroyan —dijo—, soy Bernard Loft. Su obra me ha producido un gran placer.

—Gracias.

Se estrecharon la mano.

—Oiga —dijo Loft—, me gustaría recompensarle un poco los buenos momentos que he pasado leyéndole.

—Nada de soplos, por favor.

—No, no, tengo un caballo en esta carrera. Espero que gane y me gustaría que viniera usted al recinto de los ganadores para que nos fotografíen juntos.

—¿Cuál es su caballo?

—Highwater.

—Es un caballo que viene desde atrás. ¿Cómo va a alcanzar a Wormwood?

—Lo intentaremos. Deberíamos lograrlo a tiempo.

—No veo cómo, Loft. Pero le deseo suerte, por supuesto.

—Ahora, si me perdona —dijo Loft—, tengo que bajar al *paddock*.

—Claro.

Henry se sentó con Edwards.

Edwards vio a una mujer con un gran sombrero blanco, un vestido blanco de alta costura, un pañuelo rojo, cara de paloma y enormes ojos de ratón. Le sonrió.

—Hola, señora Carrington. ¿Qué tal va todo?

—Muy bien, Monty, sólo que ayer perdimos a nuestra yegua.

—¿Ah, sí?

—Sí. Fue comprada en la 5.ª.

—Oh, cómo lo siento. Quizá consiga recuperarla.

—Sí, pensamos recuperarla en la próxima carrera.

Jodidos ricos, pensó Henry, consiguen 40.000 dólares por un caballo y se ponen tristes.

—Muy bien —dijo Henry—, voy a pasear un poco y después a apostar.

—¿Cuál le gusta?

—Wormwood.

—¿No va a apostar al caballo de Bernard?

—No. Tiene que remontar desde muy atrás.

—Bernard dice que Highwater entrará el primero.

—Ya veremos.

—¿Volverá aquí para ver la carrera?

—De acuerdo.

Henry fue pasillo arriba y entró en la zona de apuestas. Las ventanillas estaban abiertas y, de momento, no había cola. Apostó 40 a ganador a Wormwood. Wormwood estaba pagando 7 a 2 y parecía que se mantendría así.

Debería estar en casa escribiendo a máquina, pensó Henry. Este bloqueo de escritor no va a durar siempre.

Fue al bar y pidió un vodka-7. Echó una mirada alrededor. En aquella parte privilegiada del hipódromo todas las mujeres parecían jóvenes, ágiles, rebosantes de buen humor. Incluso las más viejas tenían bastante buen aspecto. Eso enriquecía a Henry. ¿Por qué las mujeres de los pobres tenían que tener tan mal aspecto? No era justo. Pero ¿qué era justo? ¿Ha habido alguna vez un instante de justicia para los pobres? Toda esa mierda sobre la democracia y las oportunidades con la que los alimentaban era sólo para evitar que quemaran los palacios. Claro, de vez en cuando había un tipo que salía del vertedero y lo conseguía. Pero por cada uno que lo conseguía había cientos de miles enterrados en los barrios bajos o en la cárcel o en el manicomio o suicidados o drogados o borrachos. Y muchos más trabajando por un sueldo de miseria, desperdiciando sus vidas por la mera subsistencia.

La esclavitud no ha sido abolida, solamente se ha expandido para incluir a nueve décimas partes de la población. En todas partes. Santa Mierda.

Henry acabó su bebida y regresó al palco. Edwards se había ido a algún sitio y ahora tenía todo el palco para él solo. Así es como debía ser. Espacio. Alivio. Lejos de la enloquecedora multitud. Sí.

Mientras esperaba repasó la 3.ª carrera, recordando el soplo de Rusty respecto a Red Window. Henry nunca había visto que un soplo ganase. Pero el problema con los soplos era que había que apostar, porque si luego ganaba y no habías apostado por él, uno tenía que darse una patada en el culo a sí mismo. Pero lo que en realidad era *prudente* hacer era no apostar a Red Window. Pero ¿era él lo suficientemente prudente?

Estaban metiéndolos en los cajones para la 2.ª carrera. Wormwood había bajado hasta 3 a 1 y Highwater estaba cotizando 2 a 1. Edwards había vuelto. Se sentó al lado de Henry.

—¿Cuándo sale su próximo libro? —preguntó.

—En cualquier momento.

Sonó la campana y salieron. Eran mil quinientos metros. Wormwood tomó la cabeza con facilidad, sacó un cuerpo y medio de ventaja en los primeros trescientos metros. Al llegar a la recta opuesta seguía y sacaba ya 2 cuerpos. Tomó bien la curva y aumentó la distancia en la recta final. Ahora sacaba tres cuerpos y medio y galopaba, las orejas de punta, sedoso. No se le veía ni una gota de sudor.

Entonces le tocó el turno a Highwater. Se acercaba, se acercaba. Wormwood todavía le sacaba 2 cuerpos, luego uno y medio, luego uno, medio, y ya la meta estaba encima. Pincay daba fustazos a Highwater sin descanso. Al llegar a la meta parecía un caballo con 8 patas. No se sabía quién había ganado.

Había que esperar que apareciera la foto.

—Parece un empate —dijo Edwards.

—Creo que ha ganado Wormwood —dijo Henry—. En estos casos tan reñidos normalmente gana el caballo de dentro.

—Pero no hay que olvidarse —dijo Edwards— de que Pincay en la meta es el demonio en persona.

Concededme sólo ésta, susurró Henry a los dioses, concededme sólo ésta y todo lo demás será más llevadero. No pido mucho, concededme sólo una corta cabeza. Un hombre puede cansarse, sabéis. Un hombre puede cansarse mucho, mucho. Sólo una corta cabeza. Sólo esta vez. Una vez. Ahora.

Apareció el resultado.

Highwater.

Necesito la máquina de escribir, pensó Henry. Así podré hacer que las cosas salgan como yo quiero que salgan. Y ahora, ¿qué voy a hacer con lo de Red Window?

Entonces llegó Bernard Loft.

—Sígame, Baroyan, por favor.

—Bonita carrera. Enhorabuena. No creí que me alcanzase...

—En realidad a mí el caballo no me gusta, pero lo he llevado por buen camino.

Henry siguió a Loft escalera abajo, luego atravesaron la puerta y entraron en el recinto de ganadores. Highwater estaba entrando en ese momento. Pincay desmontó.

—Has montado muy bien, Laffit, gracias —dijo Loft.

—Gracias —contestó Pincay—, usted sí que lo había preparado bien.

Pincay parecía un verdadero caballero. No había nada de fanfarronería en él. Era un ejemplo de distinción.

Los propietarios y los amigos de los propietarios formaban una larga fila a un lado del caballo, debía de haber unos diez u once. Pincay estaba de pie en el centro. Al otro lado del caballo estaban el mozo de cuadra, Loft y Henry.

—Mire a la cámara —dijo Loft a Henry.

Hubo un flash y todo el mundo empezó a irse.

—Mañana le busco y le doy la copia de la foto —dijo Loft.

—Muchas gracias, Loft, esto ha sido muy emocionante para mí, y yo no me emociono muy a menudo.

—Es usted un buen escritor —dijo Loft.

Henry buscó un cigarrillo, lo encendió y se alejó.

Atravesó la puerta, subió las escaleras y ya estaba de nuevo en la zona de apuestas.

Loft no sabía que él estaba acabado. *Finis.*

Henry abandonó el sector de palcos y regresó a las tribunas, a los pobres. Buscó un asiento en la tribuna.

Algunos de los mamones novatos bebían latas de cerveza caliente que se habían traído de fuera. El calor del día y el calor de las pérdidas pueden entibiarlo todo. Al cabo de sólo dos carreras sus caras ya estaban sudorosas y condenadas. Esperaban lo imposible y lo imposible rara vez llega. Sólo en las películas, chico, sólo en la pantalla de televisión. Allí es donde algunos consiguen ese pequeño empujón que los mantiene vivos.

Deberían cerrar este jodido lugar, pensó Henry, pero nunca lo harán. El Estado se hacer rico con los impuestos.

Henry comprobó cómo estaba Red Window en la pantalla. Por la mañana tenía una cotización de 15 a 1 y en pantalla abrió a 18. No estaba mal. Quizá el soplo no se había extendido, para variar. El caballo no había corrido nunca, en el programa aparecía con marcas mediocres. El jockey también tenía un porcentaje bajo de éxitos. Ninguno de los pronósticos se fijaba en él. No parecía que se hubiese corrido la voz.

¿Y bien?

Henry se sentó.

El caballo subió a 15, luego bajó a 14, luego volvió a subir a 17.

Seis o siete filas más abajo una mexicana gorda intentaba calmar a un bebé que berreaba. El marido de aquella mujer ya estaba borracho de cerveza. Ni siquiera leía el Form. Estaba allí simplemente sentado, chupando la lata de cerveza mientras el bebé se desgañitaba. La mujer parecía apurada, casi como si sufriera intentando tranquilizar al bebé. Llevaba un vestido muy bonito para el hipódromo. Se había puesto un lazo azul en el pelo. El marido llevaba una gorra de béisbol de los L. A. Dodgers. Se la había puesto al revés. El bebé chillaba. El tipo acabó su cerveza, la tiró y abrió otra.

Si alguna vez voy al infierno, pensó Henry, será como esto. O quizá ya he muerto y estoy en el infierno.

Detrás, por encima de Henry, en la última fila, había un grupo de jóvenes. Tenían las camisas por fuera de los pantalones y estaban más borrachos que la mayoría de los demás presentes. Tenían el transistor alto, muy alto, con una emisora de rock. Discutían sobre los caballos elegidos y maldecían. Parecía que les gustaban palabras como «mierda», «joder» y «mamón». Pero aún les estaba cambiando la voz. Se les quebraba de vez en cuando y aparecía un tono casi femenino entre los sonidos. Las palabras «mierda», «joder» y «mamón» sonaban con una falsa chulería.

En el momento del desfile, antes de la carrera, Red Window cotizaba a 12. Siete minutos antes de la carrera, a 14.

Henry fue a una ventanilla de apuestas. Las colas eran largas todavía.

Logró apostar cuando faltaban 4 minutos para la salida. 50 a ganador.

El caballo cotizaba a 11.

Henry volvió a subir a las tribunas y se sentó. Cuando llegó a su asiento Red Window cotizaba a 8.

Las probabilidades comenzaron a bajar a cada cambio de pantalla. 8... 7... 6...

Los caballos estaban acercándose a los cajones.

5...

La gente salía corriendo de las tribunas, gritando: «¡Red Window!»

Debería cancelar mi maldito ticket, pensó Henry, nunca he visto ganar a un caballo que dé un bajón tan grande. Pero ¿y si lo veo hoy? ¿Será un supercaballo? Mejor es que lo deje así.

9 a 2...

4...

7 a 2...

Ya estaban en los cajones. Gracias a Dios.

Entonces un caballo se escapó. Un petardo. Mala suerte. Había que retrasar la carrera. Los encargados de los cajones dieron la vuelta para cogerlo y poder meterlo de nuevo.

Los jovencitos, los chicos con las camisas fuera y voz de mujer, corrieron escaleras abajo.

—¡BIEN! ¡TODAVÍA TENEMOS TIEMPO DE LLEGAR ABAJO!

Sí que eran ágiles, saltaban los escalones de 2 en 2 o de 3 en 3. El último tropezó, perdió el equilibrio y rodó por las escaleras.

—¡¡MIERDA!!

Casi se abre la cabeza contra una de las gradas, se puso de pie de un salto y corrió detrás de los otros.

—¡RED WINDOW!

Era el que se mostraba reacio a entrar en el cajón.

3...

5 a 2...

Tuvieron que meterlo empujando por la grupa.

Cuando se abrió el cajón, Red Window cotizaba 9 a 5.

La carrera era de dos mil metros.

Red Window salió despacio del cajón número 8. En cuanto pudo, el jockey lo llevó hacia la valla para ganar terreno. Los caballos se pusieron en fila india al tomar la primera curva.

Miles y miles de dólares habían ido a parar a Red Window en cuestión de minutos, de segundos. Tenía que ser bueno o el mundo estaba loco. Hogares enteros estaban en juego. Vidas enteras estaban en juego. Todo estaba en juego en esta carrera. ¡Si alguna vez un caballo lo consiguió corriendo por dentro, *ésta tenía que ser esa vez!*

Bajando la recta opuesta Red Window logró un hueco junto a la valla. El jockey lo dejó ir un poco y se colocó 5.º. Estaba a sólo 4 cuerpos de la cabeza, y un par de velocistas se machacaban uno a otro en la delantera. Red Window se pegó a la valla, manteniendo su posición, sin ganar ni perder terreno. No estaba bien, pero tampoco mal. Si el caballo era un «crack», lo estaban reservando para un gran final.

En la última curva Red Window empezó a perder posiciones.

¡Hey!

Estaba a 6 cuerpos, iba decayendo, había una pared de caballos muy cansados, el sol luchaba contra la polución, las montañas eran de un púrpura claro y Red Window parecía estar encerrado contra la valla.

Entonces el jockey se empleó a fondo.

Sacó el caballo de la valla, abriéndose hacia el otro lado rodeó la cansada masa de carne equina, ¡y venía como un tiro!

Red Window iba a ganar.

¡Red!, pensó Harry, ¡ésta vez, sí!

Red Window se abrió mucho en la recta. Tenía el campo despejado. Era una locomotora cojonuda. Parecía el doble de grande que cualquier otro caballo. ¡Era tan hermoso, tan hermoso!

Se estaba produciendo el milagro.

La multitud parecía una sola voz enloquecida. Por fin, la vida era buena.

Entonces el caballo dejó de correr. Empezó a levantarse de manos. Empezó a mover la cabeza enloquecido.

El jockey se puso furioso, le habían dicho que el caballo no podía perder, le pegaba con la fusta, casi de pie en la silla.

Red Window se negaba y cada vez iba más despacio.

Entonces, echó la cabeza hacia atrás y se paró en seco.

Se negaba a ir hacia la meta.

El favorito de la prensa matutina cruzó la meta, cotizando 7 a 2, por encima del pronóstico de la mañana, que era de 8 a 5.

Desde las tribunas llegó un coro de abucheos e improperios.

El caballo se había plantado a 70 metros de la meta y se negaba a continuar. La multitud estaba enloquecida y los que estaban cerca de la valla le arrojaban botes de cerveza, programas de carreras, perritos calientes, basura, cualquier cosa que tuvieran a mano. Un borracho se quitó los zapatos y los lanzó. El alboroto y un rugido agónico lo llenaban todo. Las nubes se estremecieron y las montañas parpadearon.

Red Window estaba allí parado y se puso a defecar. Se estaba cagando en la multitud. Y cuando acabó de hacerlo, se repuso, avanzó a trompicones y, con el jockey con un pie fuera del estribo, ¡Red Window empezó a *correr*!

Red Window corría como un hijo de puta. Estaba lleno de energía. Tenía un aspecto magnífico. El chico tiraba de las riendas pero no podía detenerlo. El caballo era tan fuerte como diez mil caballos. Podía atravesar una pared de cemento corriendo.

Red Window cruzó, por fin, la meta.

Y fue hacia los caballos que le habían vencido, los caballos que volvían al trote en dirección opuesta.

Los mozos salieron tras Red Window.

«¡CABALLO SUELTO!», gritó el locutor, «¡CABALLO SUELTO EN LA PISTA!»

Los jockeys dejaron paso y Red Window cruzó arrasando.

Finalmente los mozos lo acorralaron en la recta opuesta.

Entonces no hubo quien lo moviera. Tiraron de las riendas, le pegaron, le maldijeron y trataron de engañarle para que se moviera. Red Window seguía allí plantado, clavado en tierra.

Tuvieron que acercar la camioneta del caballo. Después de cuatro largos minutos lograron meterlo. Consiguió un paseo gratis de regreso a la cuadra.

Entonces apareció en la pantalla: el favorito de la mañana paga 9,80 dólares.

Henry rompió su ticket, que fue a unirse con todos los demás.

Bueno, sólo tenía 110 dólares menos, sin contar los 20 que le había dado a Marsden. Todavía podía recuperarse. Sólo necesitaba un par de aciertos para lograrlo.

—¡OH, DIOS MÍO! —gritó uno de los jóvenes de la fila de atrás—. ¡ESTE SITIO DE MIERDA ME DA GANAS DE VOMITAR!

Henry abrió el programa por la cuarta carrera, de dos mil metros, dedicada a los Empleados en las Industrias Cárnicas de Shamrock. El premio era de 35.000 dólares, para caballos de cuatro años o más que no hubieran ganado más de dos carreras de 3.000 dólares y con 55 kilos de peso.

Quizá, pensó Henry, debería probar en la Bolsa.

Cogió su programa y bajó al bar más cercano. Nunca había visto aquel bar tan lleno. El camino del infierno estaría lleno de compañía, pero aún era tremendamente solitario.

A empujones y codazos se abrió paso hacia su vodka-7.

EL JOCKEY

Durante el calentamiento de Blue Mongoose en la recta opuesta, antes de la última carrera, Larry Peterson notó que el caballo estaba realmente mal, con un ataque de pánico. Larry llevaba quince años montando y conocía a sus caballos. A éste, verdaderamente, le había picado una mosca.

Larry trató de calmarlo, pero al llegar a la meta las cosas no habían mejorado. Se dirigió hacia la puerta, pasando por delante de los demás caballos, y buscó a McKelvey. Le dijo:

—Este jodido animal no está en buenas condiciones. Quiero que lo retiren.

—Yo lo veo bien —contestó McKelvey.

Larry sabía que McKelvey era un comisario que se preocupaba del dinero que perdía el hipódromo cuando tenían que retirar un caballo. La cantidad que se perdía era, sin embargo, insignificante, porque tan pronto como los tontos recuperaban el dinero volvían a apostarlo a otro caballo.

Larry desmontó y le pasó las riendas a McKelvey.

—¡Prueba a este hijo de puta! A ver si *tú* puedes mantenerlo sobre el suelo!

McKelvey era un tipo grande y gordo. Agarró las riendas. Blue Mongoose corcoveó, sacudió la cabeza, estaba cubierto de sudor.

—¡Venga, hijo de puta, cálmate! —le gritó McKelvey al caballo.

Dio un tirón a las riendas y le hizo galopar en un círculo, luego en otro y luego en otro.

—¡McKelvey, lo único que está logrando es que se ponga *peor*!

McKelvey paró el caballo y miró airadamente a Peterson.

—¡A este caballo no le pasa nada, Larry! ¡O montas o recomendaré que te suspendan durante 5 carreras por negarte a montar!

—Eso es quitarme el pan de la boca, McKelvey.

—O montas o te mueres de hambre, chico.

—¡Mierda!

Larry montó. La multitud, que no sabía lo que estaba ocurriendo, aplaudió. Blue Mongoose era el caballo número 8. Los siete anteriores ya estaban dentro. Blue Mongoose se negaba a entrar en el cajón. Varios de los tipos de la puerta lo empujaron por la grupa hasta lograr meterlo.

El animal temblaba y resoplaba. Cuando metieron al noveno caballo en el cajón de al lado, enloqueció. Se alzó de manos por encima de la puerta y tiró hacia atrás a Larry, que cayó pesadamente sobre los excrementos. Fue un golpe tremendo, pero Larry no perdió la conciencia. Giró lentamente, se puso de pie. Luego anduvo de un lado a otro, cojeando. La pierna izquierda le daba punzadas. Estaba mareado y se había mordido la lengua.

Larry escupió una arcada de sangre y vio al gordo, allí, de pie, mirándolo.

—¡McKelvey, hijo de puta —dijo Larry—, te odio de la cabeza a los pies!

McKelvey dio la orden y se oyó la voz del locutor por la megafonía: «Señoras y señores, por orden de los comisarios, Blue Mongoose ha sido retirado de esta carrera. Les será devuelto el importe de sus apuestas.»

Larry salió de la pista y se metió en el túnel.

Un mal día, un tercer puesto en una carrera y en las otras cuatro no llegó ni siquiera a puntuar. En una de ellas había salido con un caballo favorito, con un 6 a 5. A Larry le gustaba correr delante o entre los primeros, pero parecía que su agente ya no le conseguía caballos de los que van en cabeza.

Llegó a los vestuarios, se quitó el equipo. Su ayudante se había ido. El muy cabrito tenía una cita con una chica que trabajaba en un McDonald's.

Se estaba bien bajo la ducha. Lance Griffith estaba una o dos duchas más allá. Había acabado en el 2.º puesto en la carrera principal, que había pagado 16 a 1, y se sentía de maravilla.

—¡Eh, Larry!

—¿Qué?

—¿Por qué no nos vamos de ligue esta noche?

—Yo estoy casado, Lance...

—¿Y eso qué diablos tiene que ver? ¡Yo también!

—Yo no soy de esa clase.

—No seas idiota, Larry. Mientras nosotros estamos montando caballos nuestras queridas esposas están montando otra cosa.

—Yo no pienso así.

—¿Te crees que se acuestan con nosotros porque pesamos 50 kilos o porque medimos 1,50 y nada? Hombre, a ver si te enteras un poco.

—Oye, acabo de tener una caída. Estoy dolorido. No tengo ganas de oír una sarta de estupideces.

—Está bien, Larry, está bien...

Tenía la pierna derecha agarrotada y conducir le resultaba doloroso.

Maldito McKelvey, sólo preocupado por las ganancias del hipódromo. Aquel hipódromo seguiría allí mucho después de que todos ellos hubieran desaparecido.

La casa era preciosa. Había costado 300.000 dólares y casi no tenía hipoteca. Larry enfiló la entrada del garaje, metió el coche, subió la escalera hacia la puerta, la abrió y Karina estaba hablando por teléfono, toda ella y su adorable cuerpo de 1,82.

Larry era como la mayoría de los jockeys. Le gustaban las mujeres altas. De pelo largo. De buenos colegios. Con clase.

—Rina, nena —dijo.

Karina echó una ojeada a Larry, movió un brazo para apartarlo. Estaba metida de lleno en su conversación telefónica.

—Sí, mamá, bueno, escucha —dijo—, deberías cuidarte más. Necesitas más *amigos*. Oh, sé cuándo estás deprimida..., *te conozco* la voz. Oye, ¿cuándo vas a venir a visitarnos? Por aquí está todo tan bonito... Los árboles están llenos de frutas, de mandarinas, naranjas, limones... ¡A Larry y a mí nos *encanta* tu compañía! ¿Qué? ¡Oh, no seas *tonta*! ¡Lo digo de veras! Mira, ¡te paso a Larry!

Karina le dirigió una mirada penetrante y le dijo bajito:

—Saluda a mi madre.

Larry cogió el teléfono.

—Hola, Stella... ¿Qué tal estás?... Qué bien... Oh, acabo de llegar... ¿Qué? Oh, vengo de montar... No, no he ganado hoy... Tal vez mañana... Sí, claro que sí, por aquí hace muy bueno... Bien, oye, que seas buena..., te paso a Karina...

Pasó el teléfono a su mujer. Atravesó después el salón y subió la escalera. Entró en el cuarto de baño y abrió el agua caliente de la bañera. La pierna se le estaba poniendo realmente tiesa.

Larry fue al dormitorio, se quitó los zapatos y los calcetines. Luego, sentado sobre la cama, intentó desembarazarse de los pantalones. La pierna derecha estaba tiesa. El dolor era tremendo. Apenas podía quitarse los pantalones. En medio de la lucha se rió. Era tan ridículo... Por fin logró quitárselos.

Con la camiseta y los calzoncillos fue más fácil. Logró ponerse de pie. Dio unos pocos pasos con la pierna levantada. Fue hacia el cuarto de baño. Entró, se inclinó sobre la bañera, abrió un poco el agua fría y con la mano la mezcló con la caliente. Seguía inclinado de esa manera cuando entró Karina.

—Creo que has estado un poco grosero con mamá...

—Rina, no era mi intención. Pero no se me ocurría nada que decirle.

—¿No se te ocurría? Bueno, podrías hacer un pequeño esfuerzo. ¡Mi madre tiene *sentimientos* como todo el mundo! Es una mujer que ha pasado por muchas cosas, es una persona valiente y maravillosa.

Larry se enderezó, miró la pared del baño del otro lado de la bañera.

—Estoy seguro de que sí, nena.

—*No* piensas eso de verdad, sólo lo *dices*.

—Bueno, ¡*qué demonios!*, apenas conozco a tu madre.

Larry logró meterse en la bañera. Parecía que el agua estaba bastante bien. Se deslizó dentro. El agua caliente le aliviaba mucho la pierna.

—Deberías *esforzarte* en conocerla...

Karina estaba de pie por encima de él, mirando hacia abajo. Todo aquel cuerpo. Aquellas piernas preciosas. Un buen ejemplar. Y sabía vestir. Estilo, clase. Impecable.

Aquel pelo largo. Rojizo mezclado con dorado. Y natural. Aquellos ojos verdes, profundos. Aquellos ojos que sabían reír. Y aquellos dientes perfectos. Nariz bonita, mentón bonito. El cuello un poco largo, pero una buena cabeza. Y sabía vestir. Llevaba el traje que más le gustaba a él, el vestido azul oscuro que le quedaba perfecto.

—He dicho que *deberías esforzarte en conocerla.*

—Rina, de verdad, estoy destrozado...

—Siempre pensando en *ti.* Pensando en *ti*, ¡en tu maldita persona!

—¿Maldita persona?

—¿No te parece que hay alguien más por aquí cerca? ¿Sólo *tú*? ¿El gran jockey? Aunque, luego, el no-tan-gran jockey.

—Rina, ¿estás a punto de tener el período?

—¡No! ¿Y tú? ¿Estás *tú* a punto de tener el período?

Karina se inclinó sobre la bañera, las manos apoyadas en el borde, los ojos fijos, el pelo dorado-rojizo cayéndole en cascada.

—Oye, cariño, lo siento si...

—¡No me llames *cariño*!

Larry decidió darse por vencido. No había nada que decir. Las palabras sólo habrían hecho que las cosas se pusieran más feas.

Le echó una mirada furtiva y vio que ella sonreía y entonces pensó: Ah, esto va a mejorar, era una especie de broma.

Pero no era esa clase de sonrisa.

Y entonces la sonrisa desapareció. Y volvió a oírla.

—¡Ah, ahora te *callas*? ¡No quieres *hablar* de ello!

Larry se echó agua debajo de la barbilla, sintiéndose un poco estúpido al hacerlo.

—Mira, Rina, vamos a dejar esto y a empezar de cero. Vamos a tomar una copa y a calmarnos. Las cosas no son tan tremendas.

Karina se inclinó, acercándose más.

—¿Una copa? Una copa, una copa, una copa, una copa... Una *copita*. Eso lo soluciona todo, ¿no?

—Ayuda...

—¿No puedes enfrentarte a *nada* sin una copa?

Él sabía lo que ella quería oír, así que lo dijo.

—No.

Karina se agachó furiosa y le tiró agua a la cara.

—¡*Gilipollas*! ¡Estúpido *gilipollas*!

Tenía lágrimas en los ojos. Él sintió que se le encogía el estómago. Quería estar en cualquier parte menos allí. Quería estar en la cárcel, en un barrio bajo, quería estar perdido en un desierto, quería que lo succionaran las arenas movedizas hasta su desaparición.

—Déjame solo —dijo él.

Karina se inclinó, acercándose más. Ya no parecía tan bonita.

—¿Dejarte solo? ¿Dejarte *solo*? ¿Para qué? ¿Para poderte distraer tú solo? ¿Para *juguetear* contigo?

—Sí —dijo Larry—, eso. Permíteme *eso*.

—Ay, *Dios mío*, ¡que yo haya acabado casándome *contigo*! Larry la miró.

—Te lo suplico, ¡sal de aquí y déjame *solo*!

—¿Por qué me casaría yo con un hombre *miniatura*? —empezó a decir—, yo podría haber...

Y entonces un destello de un rojo furioso le cayó encima, después otro, la cogió por el pelo y por el cuello y la tiró violentamente dentro de la bañera con él.

Hubo un golpe y un chapoteo de piernas y codos, y allí estaba ella. Él era lo suficientemente grande como para manejarla *a ella* y logró colocarse encima mientras ella pataleaba y se movía. Estaba acostumbrado a manejar caballos testarudos de 680 kilos, sintió cómo sus dedos se metían en la boca de ella, en su nariz, agarrando su frente y empujando con fuerza hacia abajo, con fuerza, y la cabeza de ella se sumergió y él la mantuvo allí abajo, la mantuvo allí abajo pensando «Ahora está *callada*», pero no pudo hacerlo, al final la dejó salir, jadeante y sin aire. Él salió de la bañera, avergonzado. Echó mano a una toalla y se envolvió con ella mientras Karina seguía sentada en la bañera con su vestido azul oscuro y cubriéndose la cara con ambas manos. Se quedó allí sentada en esa posición.

Larry se sintió horriblemente, loco, peor que el propio demonio.

Fue al dormitorio y se puso una bata. Se sentó en una silla junto a la ventana del dormitorio. La tarde se había convertido en noche. Hacia abajo y hacia el este podía ver las luces de la ciudad. Tenían un aspecto muy tranquilo.

Entonces oyó a Karina salir de la bañera. Hizo un ruido de chapoteo. Tosió.

La oyó caminar. Oyó cómo goteaba el agua a medida que ella caminaba. Oyó cómo se acercaba por detrás de él. Esperó y miró las luces de la ciudad.

CAMUS

Larry se despertó, salió de entre las retorcidas sábanas, se fue hacia la ventana desde la que se veía la parte este del vecindario. Vio los tejados de los garajes y los árboles con sus ramas desnudas. Su resaca era más o menos normal y se dirigió hacia el retrete a mear, luego se volvió hacia el lavabo para lavarse las manos, acto seguido se echó agua en la cara. Entonces lo hizo: miró su rostro en el espejo y no lo encontró nada encantador. Abrió el grifo de la bañera, pensando: El problema de la Historia del Hombre es que no lleva a ninguna parte, tan sólo a una cierta muerte para el individuo, cosa que resulta gris y lamentable, material de vertedero.

Su gato, Cerdo, entró. Cerdo se quedó mirándolo fijamente, quería su comida gatuna. Este animal, pensó Larry, no es más que un estómago con patas, y si quisiera volver al Este a pasar un par de semanas, tendría que llevar a este hijo de puta a una guardería de animales o pegarle un tiro. Quizá si me entraran ganas de volver al Este debería pegarme un tiro yo mismo; pero no quiero pegarme un tiro. Han muerto demasiados hombres de un disparo, yo deseo algo más personal. ¿Pastillas, por ejemplo? No, las pastillas son demasiado aburridas, incluso aunque provoquen la muerte.

Larry volvió a examinar su rostro en el espejo: ¿Un afeitado? No.

Larry logró llegar a su clase de las 11 de la mañana.

Allí estaban: aquellas jovencitas, promesas efímeras, aquellas jovencitas, aquellos fantásticos adornos pasajeros, tan relucientes, tan frescas. Le gustaban. Los chicos estaban casi tan bien como las chicas. A medida que pasaban las décadas, chicos y chicas se estaban volviendo casi iguales. Los chicos tenían ahora una gracia que los de su época nunca habían tenido. Y también parecían más amables. Una cosa de la que parecían carecer era de valentía, aunque quizá su valentía fuera más sublime, más oculta. La Generación Atómica había producido una curiosa pandilla, y hacía mucho tiempo que Larry había decidido que juzgarlos era sólo un escudo protector para esconder sus propios defectos.

Larry los miró desde atrás de su mesa. Aquella mesa, el símbolo del poder.

—Bueno, me cago en... —dijo.

Algunos se rieron.

—Yo ya he cagado —dijo algún listo.

—¿Te has limpiado? —preguntó Larry.

—Puede que no lo suficiente —respondió el listo.

—Eso puede aplicarse a casi todo —apuntó Larry.

—Eh —dijo un gordito de mono amarillo desde uno de los asientos de atrás—, cuanta conversación sobre el *cagar*. Creía que esto era un curso de Literatura Moderna. ¿Es para *esto* para lo que le pagan?

—Casi todos los hombres son unos incompetentes en su profesión. Yo debo de ser uno de ésos. No estoy muy seguro. Algo de lo que sí *estoy* muy seguro es de que puedo romperte el culo. Esto no es muy importante en realidad, pero de algún modo me tranquiliza...

El chico del mono amarillo se puso de pie de un salto:

—¡Eso habría que *verlo*!

—Vale —dijo Larry—, vamos.

La clase salió lentamente en fila. Esperaron a Larry y al chico. Formaron un círculo bajo el roble, cerca de la biblioteca. Los contrincantes llegaron. Larry se quitó la chaqueta, la tiró al suelo. El gordito del mono respiró profundamente y sacó pecho. Parecía como si se hubiera tragado varios miles de ranas. Entonces atacó.

Larry le dio un puñetazo en cuanto se acercó y luego le metió un derechazo en toda la barriga. El gordo se tiró un pedete y retrocedió.

Entonces el gordito comenzó a girar en círculo. Larry comenzó a girar en círculo. Ambos giraban en círculo. Giraban y giraban.

—¡Venga! —gritó alguien de entre la multitud—. ¡Vamos al *grano*!

Larry hacía señas con la mano al gordito para que se acercara:

—¡Venga, que te voy a hacer pedazos!

—Viejo de mierda —decía el gordo—, ¡te voy a romper ese culo muerto a patadas!

Seguían girando en círculo. Algunos alumnos regresaron al aula a recoger sus cosas. Otros se fueron a otros sitios.

Entonces Larry y el chico se quedaron solos, girando.

El gordito dijo:

—¡Conseguiré que mi padre haga que le echen!

—No vamos a pelear —dijo Larry—, nos tenemos miedo el uno al otro.

Larry se dio la vuelta y se encaminó hacia el aula. Cuando llegó, sólo la mitad de la clase estaba esperándole.

Después entró el gordito y tomó asiento en la última fila. Larry lo miró:

—Te va a resultar muy difícil conseguir un sobresaliente conmigo.

—Ya lo sé —contestó el chico—. Para eso hay que tener un conejito joven y prieto.

—Y más de una vez —añadió Larry.

Larry contempló lo que quedaba de la clase.

—Bien, si hay alguien *más* que quiera que le rompa el culo a patadas, ¡que por favor se ponga en pie!

Uno de los chicos se puso de pie. Luego, otro. Pronto todos estaban en pie. Entonces se puso en pie una de las chicas. Luego, otra. Pronto estaba en pie todo el mundo.

84

—Está bien —dijo Larry—, sentaos. O si no, voy a suspender a toda esta jodida clase.

Se sentaron.

—El poder destruye —les dijo Larry—, y la ausencia de él crea un mundo de inadaptados. Pero os voy a echar un cable. No os suspenderé si alguno de vosotros me dice el nombre de un escritor bastante bueno. El nombre deletreado al revés es «s-u-m-a-c».

—Smack —dijo un listillo.

—No. Es «Kcams», el gran poeta y ladrón de caballos húngaro del siglo XIX. Estáis todos suspendidos. ¿Qué os parece?

—¿Qué piensa usted de Capote? —preguntó alguien.

—Nunca pienso en él.

—¿Mailer?

—Sólo en sus mujeres.

—¿Dios?

—Sobre todo, no pienso en Dios.

—Si «sobre todo» no lo hace —dijo alguien—, eso quiere decir que sobre todo sí lo hace.

—¿Quieres decir —preguntó Larry— que si no follo, eso significa que sí lo hago?

Entonces sonó la campana, doblando por todos.

Larry pensó: Me han parecido sólo 20 minutos. No hay nada como un poco de ejercicio físico para pasar el tiempo.

—Cuando os vea el próximo miércoles, si es que os veo —dijo Larry a los alumnos, que ya estaban saliendo—, espero que cada uno de vosotros me entregue una redacción sobre «¿Quién escribió nuestro himno nacional y por qué?».

Salieron en fila, refunfuñando algo como ¿qué tiene eso que ver con la Literatura Moderna?

Entonces se fueron todos menos una chiquilla joven que se acercó a la mesa de Larry.

Estaba muy guapa con aquella luz del mediodía. La luz se filtraba a través de su vestido fino y ajustado. Él estaba allí sentado y sintió cómo ella le rozaba el hombro izquierdo con su cadera.

—Me gusta, Jansen —dijo ella, llamándole por su apellido—, no sé cómo decirlo, puede que suene raro...

—Simplemente junta las piernas muy fuerte e inténtalo.

—Bueno, es que comprendo por qué sus clases son las más famosas de la Facultad. Son enérgicas, descriptivas, son entretenidas, tienen garra...

—Garra, eso es lo que necesitamos. Gracias...

—Denise.

—Gracias, Denise.

Presionó la cadera contra él.

—Lo que voy a decirle ahora es un poco más fácil: si alguna vez quiere un poco de conejito joven y prieto, eso de lo que siempre está hablando...

—No hablarás en serio... —Levantó la mirada hacia ella.

—Claro que sí, por un «sobresaliente» sí hablo en serio.

Larry seguía mirándola.

—¡Dios mío! ¿Crees que se me puede comprar tan fácilmente?

—Sí —sonrió—, sólo tiene que escribir su número de teléfono en esa libreta, arrancar la hoja y dármela. Yo me encargaré del resto...

Larry cogió su bolígrafo, escribió su número y lo deslizó hacia la cadera de ella. La mano de la chica bajó, cogió el papel, lo dobló y después se fue.

Larry se levantó, se puso la chaqueta. Tenía una clase a las 2 de la tarde y después terminaba su jornada.

Una cosa sí sabía, pensó, iba a suspender a aquel gordito hijo de puta del mono amarillo. ¿Acaso no era eso suficiente? ¿Arthur Koestler y su mujer en un doble suicidio?

Salió de la clase y atravesó en seguida el campus de la Universidad. Era la hora de tomarse un almuerzo tranquilo y un par de copas en el Blue Moon. Eso quedaba a unos dos kilómetros de la Universidad, pero bien valía el paseo en coche. Era un lugar buenísimo para relajarse.

FAMA

John Marlowe y su agente David Hudson habían estado turnándose al volante. John conducía cuando salieron de las colinas y se encontraron de frente con la carretera larga y llana que parecía interminable.

Dave encendió un cigarrillo.

—Mierda, si hubiésemos venido en avión ahora estaríamos tumbados en Nueva York llamando al servicio de habitaciones para pedir unas copas...

—Lo siento, Dave, pero no podría soportar otro vuelo como el último que hice.

—¿Qué te pasó?

—Pues en el aeropuerto no tuve ningún problema y pensé que el viaje iba a ser bueno, y todo iba bien hasta que subimos y vino la azafata a preguntarnos qué queríamos beber.

—¿Ah, sí?

—Sí. Pedí y ella parpadeó como asombrada, vaciló un instante. Luego perdió totalmente la profesionalidad y me preguntó así de alto: «Usted es *John Marlowe*, ¿verdad?»

—¿Y qué pasó?

—¿Que qué pasó? ¡Me fastidió el viaje! La gente venía a pedirme autógrafos, se volvían en sus asientos y se quedaban mirándome.

—¿Tan malo te parece eso, John? A mí no me importaría.

—Mira, Dave, al final te importaría. Nunca puedes ser tú mismo, nunca puedes estar cómodo, nunca puedes relajarte.

—Tú querías ser actor. Hace apenas cinco años nadie sabía quién eras.

—Me gusta actuar, es lo único que sé hacer. Pero aprendes que no hay nada como la intimidad. Hasta que no la pierdes no te das cuenta de lo que tenías.

—¡Joder, hombre, mira el *dinero* que estás ganando! ¡Sufre un poquito!

John Marlowe rió.

—Tienes razón, claro. Pero ¡Dios mío...!

Continuaron en silencio durante un rato. Al menos por aquí no hay ni un alma, pensó John. Sólo liebres, serpientes y maleza.

—Lo peor de aquel avión —dijo John— fue que pusieron una película mía. ¡Piensa en todas las probabilidades que había de que aquello no ocurriera! ¡Pues yo estaba en el avión y ellos me tenían en la lata! Mi peor película, «El triunfador», tuve que verla con ellos. Cuando terminó, todo el avión aplaudió.

El agente apagó el cigarrillo en el cenicero.

—Eres un hombre famoso, John, eres un hombre con éxito. Ya sabes el dicho: «No se puede tener lo uno sin lo otro.»

—Sí, pero de todas formas se siente uno muy bien yendo por aquí sin nadie a la vista.

—Eh, John, ¡que *yo* estoy aquí!

—No he querido decir eso. O sea, tú ya me conoces. Contigo puedo estar relajado. Joder, hombre, tú no sabes lo que es no poder entrar en un supermercado o ir a renovar el carnet de conducir o salir a comer sin que te reconozcan. No puedes hacer nada de esas pequeñas cosas que hace un hombre normal. Es un infierno.

El actor paró el coche a un lado de la carretera y abrió la puerta de una patada.

—Conduce tú un rato, Dave.

Dave se deslizó hasta el volante y el actor se subió por el otro lado. Arrancaron de nuevo.

—Ni siquiera puedes tener una novia de verdad, Dave. Te imaginas que está contigo sólo porque eres famoso.

—Yo me las follaría a todas, John.

—Eso se pasa con una jodida rapidez. Uno quiere algo de verdad.

—*Todos* queremos eso, pero son pocos los que lo consiguen.

—Eso es cierto. Me quejo demasiado, ya lo sé. Pero lo más raro de ser famoso es que no te *sientes* famoso. Te sientes igual que siempre. Es solamente el público el que cree que eres famoso. Es todo como un sueño, no sé si me entiendes...

—¡No te jode! Quédate con mi trabajo y yo haré el tuyo.

—Dave, no me importaría, no me importaría nada si no fuese porque, de los dos, el mejor agente eres tú y el mejor actor soy yo y más vale que lo dejemos así.

—Eh, mira —dijo Dave—, ahí delante hay un restaurante. ¿Por qué no paramos? Me vendría bien una cerveza y una hamburguesa.

—Muy bien —dijo John.

Entraron con el coche y aparcaron, se bajaron y fueron hacia la cafetería, el Refugio de Louie. Eran cerca de las 2 de la tarde. El lugar estaba sucio y vacío, a excepción de la camarera y el cocinero. Se sentaron en el único reservado y esperaron. La camarera miró hacia donde estaban pero siguió hablando con el cocinero. Sabía que no había otra cafetería en 30 kilómetros a la redonda.

—Es bonito este lugar —dijo el actor—, es tranquilo.

—Sí, pero se me está haciendo la boca agua de pensar en una cerveza.

—Oye, Dave, ¿por qué tenemos que hacer este maldito viaje?

—Está en el contrato. Tú firmaste el contrato. Presentación en persona, ciudad de Nueva York. Te van a entrevistar en «Buenos días, Nueva York» para hablar de tu última película. Una publicidad enorme.

—Mierda.

—Bueno, tú firmaste el contrato. ¡Oh, ahí viene la camarera!

La camarera era grandota y llevaba un vestido rosa, tenía alrededor de 22 años, mascaba chicle y usaba unas zapatillas blancas. En su delantal ponía en letras grandes: ¡SIRVO CALIENTE Y RÁPIDAMENTE! Se detuvo junto a la mesa y miró por la ventana como si allí fuera hubiese algo.

—Me llamo Eva —dijo—, no tenemos menú. Sólo hay lo que está en la pizarra.

Había una pizarra en la pared. Decía:

Sopa de pollo
Chili
Empanada
Sandwiches
Tamales
Cerveza

—Yo quiero —dijo el agente— una hamburguesa con cebolla y una cerveza. La cerveza enseguida, por favor.

—Y yo quiero un sandwich de carne y un café —dijo el actor.

La camarera siguió aún un rato más mirando por la ventana. Luego giró con aspecto de enfadada y vieron sus enormes caderas subiendo y bajando debajo de su vestido rosa. Dijo algo al cocinero y, después de una espera que parecía mucho más larga de lo necesario, volvió al reservado con una botella de cerveza tapada con el vaso y una taza de café sobre un platito. Puso la cerveza de un golpe frente a Dave y entonces, por primera vez, miró a John Marlowe.

Pestañeó varias veces, dejó de mascar el chicle. Se quedó allí, de pie, sosteniendo la taza de café sobre el platito. Le empezó a temblar la mano. La taza tamborileaba y se balanceaba. El café se derramó fuera de la taza.

—Ohhhh... Ohhh, usted es *John Marlowe*, ¿verdad?

—Sí, creo que sí. Y éste es mi amigo Dave Hudson.

—Encantado de conocerla, señora —dijo Dave Hudson.

—¡JOHN MARLOWE!

Logró depositar la taza sobre la mesa. Abrió la boca formando un agujero pequeño y circular. Sus ojos eran pequeños agujeros circulares. Respiró hondo, soltó el aire.

—¡Oh, Dios mío —dijo—, por poco me *cago* encima!

—Oye —dijo el actor—, relájate y tráeme a mí también una cerveza, por favor.

La camarera salió disparada. Y volvió como una exhalación con la cerveza y un bolígrafo. Dejó la cerveza sobre la mesa y sacó una servilleta del servilletero.

—¿Sería tan amable de firmarme un autógrafo, señor Marlowe? ¡Ponga «Para Eva», «Eva Evans»!

Entonces se pusieron a esperar lo que habían pedido. La camarera estaba junto al cocinero. El cocinero miraba y miraba. Surgió una nube de humo. Había dejado que la hamburguesa se quemara. Puso otra. Entonces la camarera salió de detrás del mostrador y fue rápidamente hacia el teléfono que había en la pared. La vieron marcar varios números y susurrar, muy excitada, al teléfono.

—Así se empieza —dijo el actor al agente—, de esto es de lo que te estaba hablando.

Cogió su cerveza y se bebió la mitad.

—Tengo hambre —dijo el agente—, a ver si me traen esa hamburguesa. Podríamos coger la comida y largarnos.

—Pero bueno —dijo el actor—, no puede haber demasiada gente por esta jodida zona. Llevo kilómetros sin ver casas ni granjas. ¿Y tú?

—No.

La camarera acabó con las llamadas y se quedó muy cerca de su mesa.

—Sus sandwiches vienen en un minuto.

—Por favor, hágalo lo más rápido que pueda —dijo John Marlowe.

—Sí, señor. Y Louie ha dicho que están ustedes invitados. Para nosotros es un honor. ¡Oh, Dios mío, que sí que me voy a cagar encima!

—Por favor, señora —dijo John Marlowe—. ¡No lo haga!

—¡He visto su última película, esa en la que usted lo dejaba todo para irse a vivir con la chica india en la reserva! —dijo la camarera.

—¿No era una vieja película de John Wayne?

—No, señor Marlowe, ¡era USTED!

Después, tras lo que pareció una larga espera, lo oyeron: ruido de motores. Luego los vieron: una moto, una furgoneta, un par de camionetas destrozadas, todos eran Fords, Chevrolets, ni un solo coche extranjero en el montón, buenos campesinos, levantando una polvareda en la zona de aparcar, y después la puerta de tela metálica del café se abrió de un golpe y enseguida todos los taburetes de la barra quedaron ocupados, la mayor parte por hombres aunque también había dos o tres mujeres, y todos estaban allí sentados, mirando directamente unas veces y otras girando disimuladamente en sus taburetes y mirando fijo.

Probablemente, a su modo son gente simpática, pensó John Marlowe, pero me ponen nervioso.

Cada vez un número mayor de personas empezó a girar en sus taburetes y a mirar fijamente.

—¡Dios santo! —dijo el agente—, creo que empiezo a entender lo que me decías.

—Imagínate darle un bocado a un sandwich con todos esos ojos observándote.

—Ya no tengo hambre. ¡Vámonos!

—Me parece muy bien, Dave.

Marlowe dejó un billete de veinte sobre la mesa y ambos se pusieron de pie.

—¡EH, ESPEREN!, ¡SUS SANDWICHES YA CASI ESTÁN! —gritó la camarera.

Se dirigieron al coche precipitadamente. Subieron. John Marlowe se sentó al volante. Sacó el coche del aparcamiento y salieron a la carretera, no sin que antes el actor advirtiera cómo salía la gente de la cafetería y corría hacia las furgonetas y camiones.

—¡Vienen tras nosotros! —gritó John.

—¿Para qué diablos? —preguntó Dave.

—¡Cualquiera sabe!

—¡Hay que joderse! Oye, éste es un Mercedes del 88. ¡Mira a ver qué puede hacer!

—Con mucho gusto.

El actor pisó el acelerador a fondo. El coche respondió de maravilla. Detrás de ellos iban el montón de coches y una encrespada nube de polvo y humo. Pronto empezaron a dejarlos atrás. Excepto a uno. La moto. Su porfía era inflexible.

—¿Qué es lo que quiere ese hijo de puta? —preguntó Dave.

—Yo qué sé. Pero parece que va en serio.

—Está loco.

—Sí.

El motorista los siguió durante unos quince kilómetros. Ni ellos podían ganarle terreno ni él podía acercarse. Era desquiciante.

—Ese hijo de puta ha visto demasiadas películas —dijo John Marlowe—. Le han sorbido el seso.

—Sí —dijo Dave Hudson.

Fue entonces cuando se toparon con una curva llena de grava y arena. El coche patinó y la moto voló hacia un costado y se salió de la carretera, despidiendo al motorista. Aquello tenía un aire definitivo.

—Está acabado —dijo el actor—, ese hijo de puta ha desaparecido.

—Así es —dijo el agente—, ¡a Nueva York!

—¡A Nueva York! —dijo John Marlowe.

—No sabía que condujeras tan bien —dijo Dave—, tú sí que sabes llevar este jodido cacharro.

—Gracias.

—Eh, ¿adónde diablos vas?

John Marlowe había parado y estaba girando el coche. Volvía por donde había venido.

—No podemos dejarlo ahí tirado. Podría estar malherido.

—John, sólo es un admirador loco.

—Hasta un admirador loco merece misericordia.

Regresaron carretera abajo. Divisaron la moto y pararon.

—Ahí está —dijo Dave.

Bajaron del coche y se acercaron.

El motorista estaba boca arriba a un lado de la carretera, sobre un montón de maleza. Un brazo le colgaba de forma extraña. Estaba roto. El brazo izquierdo. Le asomaba una punta del hueso con apenas una manchita de sangre. El tipo estaba consciente. Tenía los ojos abiertos.

—¿Estás bien? —preguntó Dave.

—No, no estoy bien, hijo de puta —contestó.

John fue hacia el coche y abrió el maletero. Había una manta dentro.

Sacaron al malhablado motorista de la maleza, lo tumbaron sobre el suelo y lo cubrieron con la manta. Parecía incapaz de moverse.

—Te pondrás bien —dijo el actor—. Dave, vuelve a la cafetería y haz que venga una ambulancia.

—John Marlowe —dijo el motorista desde debajo de la manta—, ¡no eres tan grande!

—Oye, John, vámonos a buscar ayuda y dejemos aquí a este hijo de puta. No tiene más que un brazo roto.

—¿Cómo lo sabes? Puede tener lesiones internas.

—John Marlowe —dijo el motorista—, no eres tan grande.

Su mano derecha surgió de debajo de la manta con una pistola. Apuntó a John Marlowe. Durante unos instantes todos se quedaron inmóviles. Entonces el motorista disparó. La bala le dio a John Marlowe directamente en la cara, justo encima de la nariz. John Marlowe se desplomó encima del cuerpo del motorista.

Dave, sin saber cómo, logró arrancarle la pistola, la tiró lo más lejos que pudo hacia un campo al otro lado de la carretera, quitó al actor de encima del motorista, vio la muerte y la encontró muy desagradable. Se volvió, dio unos pasos y vomitó. Todo había ocurrido tan rápidamente... No era posible.

Se volvió hacia el motorista, que yacía en silencio bajo la manta y le miraba. John Marlowe yacía junto a él. Por alguna razón, Dave no sintió ningún miedo. Quería matar al motorista. Todo parecía irreal y desenfocado.

Finalmente, preguntó con voz temblorosa:

—¿Por qué has hecho eso?

—No lo sé. Creo que *era* un gran hombre. Yo lo amaba.

—Pues vaya una condenada manera de demostrarlo.

—Es una manera, así yo seré parte de él para siempre.

—¡Tú lo que eres es un jodido maníaco!

Dave giró y fue hacia el coche.

—¡Eh, tío, llévame contigo! ¡Necesito un médico! ¡No puedo moverme! ¡Este brazo me duele en serio!

Dave paró, miró a aquel hombre, luego subió al coche. La llave estaba puesta. Arrancó y condujo de regreso hacia el Refugio de Louie.

Dave siempre había querido un Mercedes nuevo. Ahora lo tenía. Un rato, por lo menos.

HACIA ARRIBA SIN ALAS

Estaba sentado en un taburete del 8-Count, sin pensar en nada en particular, como por ejemplo qué hacía yo allí bebiendo whisky con agua. Quizá fuese porque Marie se pasaba todo el tiempo protestando porque yo quería ir a clase de vuelo. Aunque ella siempre estaba protestando por algo. No me malinterpreten, ella era un alma más o menos buena, pero el mundo está lleno de almas más o menos buenas y mira dónde estamos: siempre sentados en el último segundo de cada minuto. Bueno, ya se sabe. De todas formas, era tarde y yo estaba sentado junto a aquel tipo mayor que llevaba un jersey de cuello vuelto naranja y pantalones cortos. De vez en cuando me miraba y sonreía, pero yo no le hacía caso. Realmente no tenía ganas de escuchar ninguna conversación típica de barra. Quiero decir que, cuando se está sentado sobre el último segundo de cada minuto, lo mejor es evitar las chorradas. El tiempo es oro, ¿no? Pero aquel tipo no pudo aguantar más. Por fin habló; y me habló a mí.

—Pareces preocupado por algo —dijo.

—Así es —contesté.

—¿Qué te pasa? —preguntó.

Lo miré. Era uno de esos tipos de ojos realmente juntos. Uno sentía ganas de estirar el brazo y separarlos un poco.

—Quiero volar y no sé.

—Y ¿por qué no?

—¿Que por qué no? ¡Porque primero tengo que ir a clase!

—Yo sé volar —dijo el viejo—, y nunca he ido a clase.

Hice señas al camarero para que trajera otro whisky con agua para mí y una cerveza para el viejo. Estaba bebiendo cerveza de barril. Quizá fuese eso lo que le había puesto los ojos tan juntos: la cerveza joven y barata.

—Es difícil creer eso de que sabes volar y sin haber ido nunca a clase —dije.

—Puedo contártelo, si quieres escucharme —sugirió.

—Supongo que no me queda otra salida, ¿no? —pregunté. Sonrió.

—Bueno —dije medio dudando—, oigamos eso.

De todos modos no había ninguna mujer en el bar y no había nada en la tele excepto el nuevo presidente, sonriendo levemente, con un tic de cabeza algo demencial, que intentaba ser una buena persona, como el presidente anterior, y hablaba de algo que había salido mal pero decía que, de todas formas, ahora todo iba bien.

—Empezó —arrancó diciendo el viejo— cuando yo tenía alrededor de cinco años. Un sábado por la tarde estaba sentado en mi habitación y los otros niños se habían ido a jugar por ahí y mis padres se habían ido...

—¿Y descubriste que tenías pilila?

—Oh, no, eso pasó mucho tiempo después. Déjame continuar, por favor...

—Claro, claro.

—Yo estaba sentado en mi cama, mirando por la ventana hacia el patio. Mis pensamientos eran inconscientes, apenas elaborados.

—Empezaste pronto...

—Sí, eso es lo que estoy intentando contarte. Yo estaba allí sentado y se me posó una mosca en la mano. En la mano derecha...

—¿Ah, sí?

—Sí, era una mosca particularmente fea: gorda, ignorante, hostil. Agité la mano para que se fuese. Se alzó dos o tres centímetros, se puso a zumbar y entonces, con un sonido realmente horrible, volvió a aterrizar en mi mano y me picó...

—¡No me jodas!

—Sí..., así fue, espanté la mosca y se puso a volar por la habitación, girando y haciendo un ruido furioso y posesivo. La mano me escocía muchísimo. Yo no tenía ni idea de que una picadura de mosca pudiera ser tan dolorosa.

—Oye —le dije al viejo—, tengo que irme a casa. Tengo una mujer como una rana que se hincha y me salta encima.

El tipo actuó como si no hubiese oído.

—... de todos modos, yo odiaba aquella mosca, su sorprendente falta de miedo, su arrogancia de insecto, su zumbante ignorancia...

—Lo que necesitabas era un matamoscas.

—... nada en absoluto para doblegarla, para quitarla de en medio. ¡Cómo *odiaba* aquella mosca! Sentía que no tenía derecho a actuar así. Yo quería matarla porque sentía que, en esencia, ella quería matarme a mí.

—Todo está permitido en el amor y en las moscas.

—Observé la mosca. La vi posarse en el techo, luego andar cabeza abajo. Se sentía tan segura y tan superior. Mirando a aquella mosca que andaba de un lado a otro me fui poniendo cada vez más furioso. *Tenía* que matar aquella cosa. En la grieta más profunda de mi alma sentí esa terrible *necesidad* de destrozar aquella mosca. Empezó a temblarme todo el cuerpo, a vibrar. Entonces sentí como si mi cuerpo se cargase de electricidad y luego ¡un fogonazo de luz blanca!

—¡Sí que te afectó esa mosca!

—... y entonces sentí que mi cuerpo se elevaba, se ¡ELEVABA! Floté hasta el techo, mi mano salió disparada y aplasté aquella mosca con la palma de la mano. Estaba sorprendido por la velocidad de la acción. Y entonces sentí que, lentamente, era devuelto al suelo y depositado allí.

—¿Y qué pasó entonces, abuelo?

—Fui al cuarto de baño y me lavé las manos. Después salí y me senté sobre la cama.

—Supongo que las moscas no habrán vuelto a meterse contigo después de eso...

—No, no lo han hecho. Pero mientras estaba allí sentado en la cama, intenté volar otra vez y no pude. Lo intenté una y otra vez, pero no pude.

—¿No será que necesitas una picadura de mosca para que se te encienda el cohete?

—Intenté volar una y otra vez, me esforcé todo lo que pude, pero no hubo caso. Yo sentí que había pasado realmente, pero después de un rato empecé a pensar que quizá lo había imaginado, que quizá había enloquecido durante unos momentos.

—¿Y cómo te sientes ahora mismo?

—Oh, estoy muy bien e insisto en invitarte a otra copa.

¿Otra copa? Pensé en aquello. La primera no la había pagado él. Pero tal vez era sólo cuestión semántica.

—Muy bien —dije.

Así que llegaron las bebidas y nos quedamos allí sentados, sin hablar. Una vez conocí a un tipo en un bar que afirmaba que se comía su propia carne, así que de las charlas en general yo aceptaba bastante y descartaba bastante.

Entonces el viejo empezó otra vez.

—Bueno, después de cierto tiempo me olvidé de todo el asunto, pero entonces me volvió a pasar.

—¿Te picó otra mosca?

—No, era el último curso en el colegio, en Ohio. Yo era defensa izquierdo de reserva. Era el último partido de la temporada y yo estaba allí porque el chico que jugaba de titular estaba lesionado. Pero había algo importante, jugábamos contra nuestros más odiados rivales, unos mamones ricos de la parte bien de la ciudad. O sea, que eran unos verdaderos chulos. En serio. Vencerlos era más importante para nosotros que ligar, y eso que nunca o muy rara vez ligábamos porque aquellos ricachones siempre andaban follándose a nuestras chicas. Vencerlos en el campo de juego era la única forma en que podíamos tomarnos la revancha. Soñábamos con eso noche y día. Significaba todo.

Bueno, pensé, ahora pasaremos de odiar las moscas a odiar a los seres humanos. Ambos son difíciles de soportar.

—El partido estaba en su momento clave. Perdíamos por 21 a 16 y quedaban sólo 30 segundos y ellos estaban a 12 metros de nuestra línea de meta. Podían ganarnos sin arriesgarse, con sólo hacer tiempo, pero lo que querían era incordiar. No les bastaba con tirarse a nuestras chicas, querían marcarnos *otro* tanto.

—Demasiado.

—Sí. Así que el *quarterback* retrocede para tirar, es un verdadero capullo, tiene un Cadillac amarillo, entonces lanza el balón haciendo una espiral, uno de nuestros defensas lo toca con las puntas de los dedos en la línea de meta y el balón sale volando en el momento en que pitan el final del partido. Yo estaba en el área de meta porque me habían empujado y me había caído de culo, y cuando me estaba levantando veo el balón viniendo hacia mí. Lo cojo y empiezo a correr. Estoy totalmente rodeado por los chulos. Comienzan a encerrarme. No puedo hacer nada. Vienen hacia mí. Todos esos tipos que han estado metiéndosela a nuestras chicas. Me invade una furia cegadora. En el momento en que saltan para aplastarme con un placaje masivo, empiezo a sentir que *¡me estoy elevando! ¡Estoy suspendido en el aire!* Tengo el balón y vuelo hacia su línea de meta. Aterrizo en su meta y ¡ganamos el partido!

—Tengo que decirte algo —le dije al viejo—. Eres el mayor embustero que he conocido en *toda mi vida.*

—No te estoy mintiendo.

—Venga ya —dije—. No he oído nunca hablar de eso. Ni yo ni nadie. Hubiese salido en todos los periódicos. ¡Se hubiese sabido en todo el mundo!

—Ocurrió en una ciudad muy pequeñita. Lo silenciaron. Lo ocultaron, lo enterraron para siempre. Sobornaron a la gente.

—Nadie podría tapar una cosa así.

El viejo señaló con la cabeza hacia un reservado. Nos acercamos y nos sentamos. Era mi turno de pagar las bebidas. Le hice una seña al camarero.

—Dos más —le dije cuando se acercó—, para cada uno.

El viejo no habló hasta que llegaron los cuatro vasos y el camarero regresó a la barra.

—El gobierno —dijo, alzando una de aquellas horribles cervezas jóvenes y bebiéndose casi todo el vaso—. Fue el gobierno.

—¿Ah, sí?

—Querían el secreto, pero yo no lo tenía. Nos hubiera proporcionado el arma secreta más poderosa de todos los tiempos. Una casi invencible. Me sometieron a un terrible interrogatorio, interminable, pero yo, sencillamente, no lo sabía. Mientras tanto, se ocultó todo sobre el partido de fútbol. No sé cómo influiría en las vidas de las 300 o 400 personas que lo presenciaron, pero supongo que es algo que recordarán hasta el día de su muerte.

Vacié mi primer vaso.

—¿Sabes, abuelo, que lo que cuentas suena convincente? Estoy a punto de creerte.

—No tienes que hacerlo —respondió—. Es sólo porque has mencionado eso de que querías volar. Ya llevo algunas copas encima y eso me ha hecho recordar.

—Está bien —dije—. Pero sigo queriendo volar.

—Yo puedo enseñarte —dijo el viejo, inclinándose hacia adelante—. Al final, lo descubrí.

—Sabes una cosa —dije—, no pienso pagar por eso.

—Es gratis.

—Muy bien —dije—, enséñame.

Me miró por encima de sus cervezas con aquellos ojos.

—Antes que nada, tienes que *creer*.

—Eso es difícil.

—A veces. Y después, cuando ya estés listo para volar, tienes que hacer esto. Mírame las manos. Haz esto.

—*¿Esto?*

—Muy bien. Ahora, coge aire. Y pon los ojos en blanco. Entonces, piensa en lo peor que te ha pasado en toda tu vida.

—Hay tantas cosas...

—Ya lo sé, pero elige la peor.

—Vale, ya lo tengo.

—Ahora di SOLZIMER y ¡te elevarás!

—SOLZIMER —dije.

Seguí allí sentado.

—Eh, abuelo, no pasa nada.

—Pasará. Pero lleva un poco de tiempo y de práctica.

—Oye, abuelo, ¿cómo te llamas?

—Benny.

—Bueno, Benny, yo soy Hank. Y tengo que decirte que hacía muchísimo tiempo que no oía una mentira tan bien contada. O estás loco de verdad o eres el gracioso número uno de todos los tiempos.

—Encantado de conocerte, Hank. Pero ahora tengo que marcharme. Soy conductor de autobuses, es mi último año de trabajo y tengo que hacer el recorrido de las 6.30 de la mañana, así que para mí es tarde.

—Yo no tengo trabajo, Benny, pero me voy a beber la última copa a casa, así que saldré contigo.

Fuera hacía una noche bastante bonita, de luna llena con una niebla que iba cayendo. Las prostitutas se la mamaban a tipos en coches aparcados y en callejones. Mi habitación estaba justo a la vuelta de la esquina. No tenía ni idea de dónde vivía Benny. Pero cuando nos estábamos acercando a la esquina, un policía enorme surgió de la niebla. ¡Lo que nos faltaba! Y parecía como si le viniéramos bien.

—Eh, vosotros, chicos, parece que no tenéis mucha estabilidad —dijo—. Creo que lo mejor será que vengáis los dos conmigo a chirona hasta que os sequéis. ¿Qué os parece?

—SOLZIMER —dijo Benny, y comenzó a elevarse.

Flotó hacia arriba justo frente al policía, siguió elevándose y pasó por encima del edificio del Bank of America. Después se alejó velozmente.

—Me cago en... —susurró el policía—, ¿has visto eso?

—SOLZIMER —dije.

No pasó nada.

—Oye —me preguntó el enorme policía—. ¿Tú no estabas con un tipo?

—SOLZIMER —dije.

—Muy bien —dijo—, acabo de ver a ese tal Solzimer despegando rumbo al espacio. ¿No lo has visto?

—Yo no he visto nada.

—Muy bien —dijo—. ¿Cómo te llamas?

—SOLZIMER —dije.

Y entonces empezó a pasar. Sentí que me estaba elevando, ¡ELEVANDO!

—¡Eh! ¡Vuelve aquí! —gritó el policía.

Yo seguía subiendo. Era maravilloso. Yo también pasé por encima del edificio del Bank of America. El viejo no me había mentido. Aunque sus ojos estuvieran demasiado juntos. Allí arriba hacía un poco de frío. Pero seguí flotando. Cuando le contara a los chicos lo de esta noche, lo que le había pasado a este borracho, no me creerían. Qué mierda. Viré en picado hacia la izquierda y sobrevolé la autopista del puerto sólo para comprobar el funcionamiento. Parecía lento, pero de todos modos yo estaba muy satisfecho de la vida en general.

MALA NOCHE

Monty estaba deprimido, bueno, deprimido no, sólo desanimado con la situación en general, el juego en general, la vida en general. Eran las 9 de la noche de un viernes y estaba solo en su piso, atrás quedaban los cinco días de trabajo como capataz en una fábrica de guarniciones de alumbrado. A veces tenía que trabajar los sábados, pero ahora se habían puesto al día con los pedidos, gracias a Dios. Odiaba su trabajo. Había sido más feliz cuando era un simple operario. Ahora tenía que controlar a los hombres, endurecerse de acuerdo con su cometido. Había aceptado el ascenso por la paga extra y ahora estaba arrepentido, más que arrepentido. Pero tenía 47 años, toda su vida había ido de un trabajo estúpido a otro trabajo estúpido. Nunca había tenido una ocupación decente, sólo trabajos con las manos.

Nada en la tele. Monty se sirvió un whisky. Había estado casado dos veces. En las dos ocasiones el comienzo había sido prometedor. Había habido risas y comprensión, y el sexo no había estado mal con ninguna de las dos mujeres. Pero gradualmente los matrimonios se convertían en empleos. Carecían de variedad. En seguida esos dos matrimonios se habían vuelto un concurso, un concurso de quién podía agotar al otro. Se habían vuelto un juego de odio. Monty tuvo que abandonar las dos veces. Con los ligues había sido más o menos lo mismo. ¿Cuántas vidas había como la suya? ¿Cuánta gente que simplemente continuaba de modo insensato?

Era la temporada de béisbol. Pero a él ya no le importaba quién se llevaba la copa. En aquellos momentos el presidente regresaba en avión de su viaje a China, decían que había firmado algún tipo de acuerdo con los chinos. A Monty no le importaba. Aquello sólo era una gilipollez más. No tenía ninguna importancia. Cuando cayera la bomba, los tratados también volarían por los aires. Junto con Monty, el solterón.

Se puso a hojear la revista de chicas que había comprado en la tienda de la esquina, en un momento de antojo. Las fotos de coños le aburrían. ¿Era eso lo que querían los hombres? Que farsa maldita, era como meter el mango de una fregona en un hoyo succionador. Siempre la misma cosa, siglos de la misma cosa. Un aburrimiento.

Entonces pasó a las páginas de atrás. Había fotos de chicas que pedían que las llamasen. Algunas ofrecían castigos terribles. Monty sonrió. De eso ya había tenido bastante. Entonces vio el anuncio de Donna. Donna tenía buen aspecto. Y afirmaba que podía hacer que él se corriese por teléfono. «Si no te corres y yo no me corro, será la primera vez», prometía el anuncio.

Monty acabó su whisky y se sirvió otro. Estaba cansado del bar. Diez o quince tipos compitiendo por las dos o tres busconas todas las noches. Acercó el teléfono y marcó el número. Oyó sonar el teléfono tres veces, después contestaron.

—¡Soy Donna, yo estoy preparada y sé que tú estás preparado!

—Hola, Donna.

—¡Hola, guapetón! ¿Cómo te llamas?

—Monty.

—Ohhh, Monty... ¡Sé que todos los tipos que se llaman *Monty* están bien provistos!

—Yo soy más bien normal, Donna.

—Cariño, no seas modesto.

—No, no, no lo soy...

—Cielo, antes de que sigamos hablando voy a tener que coger el número de tu tarjeta, la fecha de vencimiento y tu nombre. Acepto American Express, Master o Visa. Son veinticinco dólares los diez minutos.

—Un momento. Voy a buscar mi tarjeta.

—Muy bien. Y el tiempo no empezará a correr hasta que comience la conversación.

—Muy bien, eso está muy bien.

Monty buscó su Visa y le proporcionó la información.

—Perfecto. Ahora espera un momento, por favor, que voy a comprobar tu cuenta.

Monty fue a buscar una cerveza. Para este tipo de experiencias se necesitaba whisky y cerveza. Regresó y cogió el teléfono. Donna seguía comprobando su cuenta. Entonces volvió.

—Muy bien, Monty, cariño, ya podemos empezar. ¿Estás preparado?

—No sé. Dime, Donna, ¿haces esto toda la noche?

—¿Si hago el *qué* toda la noche, cariño?

—Coger el teléfono, hablar con tipos...

—¡Dios mío! ¿Eres uno de *ésos*?

—¿Uno de cuáles?

—¡Uno de esos tipos que sólo quieren charlar! ¡Yo no quiero charlar, yo quiero que vayamos al *asunto*!

—Lo siento, Donna.

—No importa. ¡Ahora haz lo que te digo! ¡Sácala, quiero *verla*!

—Donna, no puedes verla por teléfono.

—Créeme, ¡puedo verla! Así que ¡ahora, sácala!

Monty no la sacó. Se bebió el whisky.

—¿La tienes fuera, cariño?

—Sí.

—AH, SÍ ¡YA LA VEO! ¡SE ESTÁ EMPINANDO! ¡OOOH, QUÉ COSA TAN HERMOSA, TAN PALPITANTE!

—Gracias, Donna.

La polla de Monty seguía dentro de los pantalones. Le pareció que estaba haciendo trampas. Se bajó la cremallera y lo único que vio fueron los calzoncillos. Se sintió ridículo y volvió a subirse la cremallera.

—AHORA INCLINO LA CABEZA, SACO LA LENGUA, ESTÁ MUY CERCA DE LA PUNTA DE TU POLLA, PERO NO LA TOCA. ¿VES MI LENGUA, MONTY?

—Sí, Donna.

—¡TE VUELVES LOCO, CARIÑO! ¡AHORA MI LENGUA ROZA LA PUN-
TITA DE TU POLLA! ¿LA SIENTES?

—Sí, Donna.

—AHORA TE ACARICIA LA PUNTA DE LA POLLA UNA VEZ, OTRA
VEZ. ¡OH, MONTY!

—Donna.

—AHORA TENGO LA PUNTA METIDA EN LA BOCA. SUBO LA MANO
HACIA MI VESTIDO. ¡NO LLEVO BRAGAS! ¡YA ESTOY HÚMEDA! ME
TOCO EL CLÍTORIS, BAJO LA CABEZA Y ¡METO TODA TU POLLA EN
LA BOCA!

—Pero si me estás *hablando*, Donna...

Monty volvió a bajarse la cremallera pero seguía viendo solamente un trozo de calzoncillo. Dio un trago a la cerveza.

—¡MI CABEZA ESTÁ TRABAJANDO! ¡TU POLLA ME ESTÁ VOLVIEN-
DO LOCA! ¡VOY A CHUPÁRTELA HASTA QUE NO TE QUEDE NI UNA
GOTA! ¡OH, DIOS MÍO, CREO QUE VOY A CORRERME! ¿Y TÚ? ¿ESTÁS
A PUNTO DE CORRERTE, MONTY?

—Sí, Donna.

Monty volvió a subirse la cremallera.

—¡OOOH, OOOOOH, OOOOOOH, ME CORRO, MONTY! ¡CÓRRETE
CONMIGO, MONTY! ¡OH, ME CORRO, ME CORRO, OOOOOH, OOOOOH,
OH, DIOS MÍO, ME CORRO, OOOH, OOOOOOH, OOOOOH, OOOOOOOOH,
OOOOOOOOH, OOOOO... OOO... OO... O...!

Silencio.

Después Donna dijo:

—¡*Nunca* jamás me había corrido así! ¿Tú lo has pasado bien,
Monty, mi amor?

Monty colgó. Se sirvió otro whisky y pensó en llamar a Darlene, una antigua novia. Pero aquello siempre terminaba mal. En
vez de eso volvió a marcar el número de Donna.

—¡Soy Donna, estoy preparada y sé que tú estás preparado!

—Hola Donna, soy Monty.

—¿Monty? Oye, ¿no eres tú el que acaba de llamar?

—Sí, pero quiero hacerlo otra vez. ¿Te has corrido de verdad?

—Claro que sí. ¿Quieres *volver* a hacerlo? ¡Dios mío, qué *caliente* debes de estar! Lo que voy a hacer es añadir esto a tu primera llamada. Veinticinco dólares los diez minutos.

Donna titubeó.

—Si quieres dominación máxima son treinta y cinco dólares los diez minutos.

—No, sólo quiero el normal, Donna.

—Muy bien, Monty, cariño, ¿estás preparado?

—Sí, Donna...

—Muy bien. ¡Sácatela! ¡Quiero *verla*!

Monty dio un trago a la cerveza.

—¿Ya te la has sacado, cielo?

—Sí, Donna.

—¡OH, SÍ, YA LA VEO! ¡SE ESTÁ EMPINANDO! ¡OOOH, QUÉ COSA...!

Monty colgó. Cogió la revista de chicas. Vio otro anuncio. Decía que las preciosas chicas que eligieras irían a tu casa y te harían todas las maravillas que desearas. Marcó el número. El teléfono sonó una vez. Contestó un hombre.

—¿Sí? —preguntó con voz hostil.

—¿Es ahí el Servicio de Chicas de Ensueño a domicilio?

—Sí. ¿Qué quiere?

—Una chica.

—Sí, bueno, tengo que informarle de que no estamos relacionados con la prostitución.

—¿Quiere la información sobre mi tarjeta de crédito?

—Sólo operamos en efectivo. Cincuenta dólares la visita a domicilio, más otros cincuenta dólares por treinta minutos o fracción.

—Muy bien.

—¿Lleva el dinero encima?

—Sí.

—¿Qué tipo de chica quiere?

—¿A qué se refiere?

—Me refiero a que las tenemos gordas, flacas, maduritas, jóvenes, cuerdas, locas, orientales, negras, blancas, rojas, amarillas, pida usted. Tenemos una chica con una sola pierna, si lo desea. ¿Qué quiere?

—Simplemente, mándeme a la más guapa.

—¿Ah, sí? Bueno, eso es fácil. Es Carmen.

—Muy bien. Mande a Carmen.

El tipo anotó la dirección del apartamento de Monty.

—Muy bien —dijo—, Carmen va de camino...

De algún modo, a Monty la situación le ponía nervioso. Debería haber ido al partido de béisbol. O quizá estuvieran poniendo alguna película de Woody Allen. Woody siempre tenía problemas con sus mujeres. Pero todas esas mujeres eran guapas e inteligentes y siempre tenían tiempo para dar largos paseos por el parque y cosas de ese tipo. Y Woody siempre tenía un trabajo bien pagado y, cuando había problemas con una mujer guapa e inteligente, simplemente se iba al teléfono y telefoneaba a otra mujer guapa e inteligente. Millones de hombres desearían tener los problemas de Woody Allen con las mujeres.

Parecía que no había pasado el tiempo cuando se oyeron unos golpes en la puerta de Monty. Abrió. Una mujer baja, de constitución fuerte, vestida de negro y con zapatos bajos estaba allí de pie. Tenía el pelo corto y no llevaba maquillaje. Parecía una funcionaria de una cárcel de mujeres. Una leve brutalidad descansaba en su rostro como una segunda piel.

—¡Hola! Soy Carmen. Servicio de Chicas de Ensueño a domicilio.

Pasó delante de él y se instaló en una silla. Monty cerró la puerta y se sentó en el sofá. Estiró el brazo para coger su whisky.

—¿Quieres una copa, Carmen?

—No bebo mientras trabajo.

—Bueno, bébete una, de todos modos. Para relajarte, ¿sabes?

—Yo ya estoy relajada. Estoy preparada para lo que sea necesario. ¿Te ha informado Tony de las tarifas?

—Sí, 50 dólares por el desplazamiento y 50 dólares por treinta minutos.

—Toda la noche son 215 dólares.

—Creo que no quiero toda la noche.

—Por mí, muy bien.

Allí estaban, simplemente sentados.

—Me he casado dos veces —dijo Monty—. Estoy, por así decirlo, experimentado.

—¿Quieres que te la chupe?

—Bueno, no inmediatamente.

—Muy bien.

—Como te decía, para mí esto es nuevo.

—¿Algún fetichismo? Puedo hacer cualquier cosa.

—No, nada de eso.

—¿Eres normal?

—Sí.

—¿Y por qué no me pides algo?

—¿Como qué?

—Como que me digas qué quieres hacer.

—Sólo quiero relajarme. Toma una copa. ¿Seguro qué no quieres nada?

—No.

—Carmen, ¿hace mucho que estás en esta ciudad?

—No tengo por qué hablar de estupideces.

Monty vació su vaso y se sirvió otro.

—No serás marica, ¿verdad? —preguntó Carmen.

—No, no; no creo.

—¿No lo sabes?

—Bueno, me gustan las mujeres.

Hubo otro silencio. Monty deseaba que ella no estuviese allí, pero tampoco quería herir sus sentimientos.

Entonces oyó un sonido. Salía del bolso de Carmen. Sacó un pequeño transmisor. Sacó la antena lateral.

—¿Estás bien, Carmen? —Era una voz masculina.

—Posible psicópata —dijo—, pero está bajo control. Manténte en contacto. Fuera.

Bajó la antena y volvió a colocar el aparato en el bolso.

—Oye —dijo Monty a Carmen—, yo estoy bien. A mí no me pasa nada.

—Nadie cree que le pase nada malo. Pero yo lo noto. Trato

con tipos raros todas las noches. Tú eres rarillo, yo lo huelo. Lo noto por cómo actúas.

Monty se sirvió otro whisky.

—Mierda, eso no es cierto.

—¡Qué gilipollez! Probablemente te gusta rajar a las chicas. Rajaron a una de nuestras chicas la otra noche. Ya nunca volverá a ser la misma. Ya no puede trabajar para nosotros. Está acabada.

—¡Yo ni siquiera he pegado a una mujer jamás!

—Eres rarillo, lo noto.

—No es así, para nada...

—Entonces, ¿qué es?

—No es agradable decir esto, pero..., simplemente, no me resultas atractiva. No me provocas ningún deseo.

—Más gilipolleces todavía. Trato con 150 hombres al mes, un mes tras otro, y nunca me he tropezado con uno que no quisiera hacerlo conmigo de una manera o de otra.

—Siento ser el primero. No quiero decir que no seas atractiva, sólo que...

—Muy bien —dijo Carmen—, son 50 pavos por haber venido y 50 pavos por los 30 minutos. Me debes cien.

Monty vació su vaso.

—Te daré 50. Eso es todo.

—¿Qué coño quieres decir?

—Sencillamente quiero decir que creo que es lo justo. Has venido, pero no ha pasado nada. Es un dinero fácil. Aquí tienes.

Monty buscó en la cartera, sacó uno de cincuenta, se acercó y lo dejó caer en la falda de Carmen. Ella lo cogió al vuelo y lo metió en su bolso. Después se quedó mirando fijamente a Monty.

—Pedazo de mamón...

Mira quién llama mamón a quién, pensó Monty mientras se dirigía de nuevo al sofá y se servía otro whisky.

Carmen había sacado la radio. Tiró de la antena.

—Tony —dijo—, Tony, ¿estás ahí?

—Sí, nena. ¿Qué tal todo?

—Aquí tengo un muerto, Tony. Sólo ha soltado la mitad.

—No será un «secreta», ¿no?

—Sólo es un muerto, Tony.

—Vale, que no se vaya.

Carmen volvió a meter el aparato en su bolso.

—¿Qué es un secreta? —preguntó Monty a Carmen.

—Un poli —dijo ella.

Monty y Carmen se quedaron sentados, mirándose el uno al otro.

Monty se sirvió otra copa. Pasaron veinte minutos. Entonces se oyó un golpe en la puerta. Carmen se levantó de un salto y fue a abrir. Era Tony, un tipo de unos 30 años, con chaqueta de cuero. La chaqueta tenía el aspecto de que había dormido con ella puesta. Era bajo y ancho, un poco gordito, y tenía la cabeza grande y redonda, los ojillos redondos y la boca pequeñita.

Tony fue hacia Monty, se inclinó por encima de la mesita baja.

—Está bien —dijo—, cogeremos la otra parte del dinero y después nos marcharemos. Si no, habrá follón y el follón serás tú.

Monty tiró la mesa de una patada contra Tony, cogió la botella de whisky vacía y le asestó un golpe a un lado de la cabeza. La botella se rompió y Tony dijo «Mierda», cayó al suelo, se levantó, se sacudió los cristales y se abalanzó sobre Monty. Todo sucedió muy rápido. Tony puso una navaja sobre la garganta de Monty y lo cogió por el pelo y dijo «Ahora vamos a coger los cincuenta dólares».

Carmen se acercó a Monty, le cogió la cartera y sacó otro billete de 50 dólares. Cogió el resto del dinero: dos de veinte, uno de cinco y dos de uno y lo tiró al suelo. Tony soltó a Monty. Apretó el botón y la hoja de la navaja se precipitó dentro del mango.

—Ya ves —dijo Tony—, sólo te hemos cogido lo que faltaba. Nosotros tenemos un negocio limpio.

—Sobresaliente en gilipollez —dijo Carmen.

Dicho esto, se volvieron, fueron hacia la puerta, la abrieron, la cerraron y desaparecieron.

Monty dejó el dinero en el suelo. Fue hacia el dormitorio, se sentó en el borde de la cama, se quitó los zapatos y se tumbó. La luz de la luna se filtraba a través de las cortinas y pensó durante un instante en lo que acababa de ocurrir, pero no pudo entender casi nada. En general, las cosas seguían más o menos igual. Sólo que él se sentía incompleto. Incompleto. Diez minutos después estaba dormido. Lo único que se oía fuera era el ruido de los grillos y el ruido de los borrachos que intentaban encontrar el camino a casa.

TRÁEME TU AMOR

Harry bajó la escalera hacia el jardín. Muchos de los pacientes estaban allí fuera. Le habían dicho que Gloria, su mujer, estaba allí fuera. La vio sentada a una mesa, sola. Se acercó a ella en diagonal, de refilón por detrás. Dio la vuelta a la mesa y se sentó frente a ella. Gloria estaba sentada con la espalda muy recta y tenía la cara muy pálida. Le miró pero no le vio. Después le vio.

—¿Es usted el director? —preguntó.

—¿El director de qué?

—El director de verosimilitud.

—No.

Estaba pálida, sus ojos eran pálidos, azul pálido.

—¿Cómo te encuentras, Gloria?

La mesa era de hierro, pintada de blanco, una mesa que duraría siglos. Había un pequeño recipiente con flores en el centro, flores marchitas y muertas que colgaban de tallos blandos y tristes.

—Eres un follaputas, Harry. Te follas a las putas.

—Eso no es cierto, Gloria.

—¿Y también te lo chupan? ¿Te chupan el pito?

—Iba a traer a tu madre, Gloria, pero estaba en la cama con gripe.

—Esa vieja murciélago siempre está en la cama con algo... ¿Es usted el director?

Los demás pacientes estaban sentados junto a otras mesas o de pie, recostados contra los árboles, o tumbados en la hierba. Estaban quietos y en silencio.

—¿Qué tal es la comida aquí, Gloria? ¿Tienes amigos?

—Horrible. Y no, follaputas.

—¿Quieres algo para leer? ¿Qué quieres que te traiga para leer?

Gloria no contestó. Entonces levantó la mano derecha, la miró, cerró el puño y se asestó un golpe en la nariz, muy fuerte. Harry se estiró por encima de la mesa y le cogió ambas manos.

—¡Gloria, *por favor*!

Ella empezó a llorar.

—¿Por qué no me has traído *bombones*?

—Pero Gloria, tú me dijiste que *odiabas* los bombones.

Las lágrimas le caían abundantemente.

—¡*No* odio los bombones! ¡Me *encantan* los bombones!

—No llores, Gloria, por favor... Te traeré bombones y todo lo que quieras... Escucha, he alquilado una habitación en un hotel, a un par de manzanas de aquí, sólo para estar cerca de ti.

Sus ojos pálidos se agrandaron.

—¿Una habitación de *hotel*? ¡Estarás ahí con una jodida puta! ¡Estaréis viendo juntos películas porno y tendréis un espejo de los que ocupan todo el techo!

—Estaré aquí un par de días, Gloria —dijo Harry dulcemente—. Te traeré todo lo que quieras.

—*Tráeme tu amor, entonces* —gritó—. *¿Por qué demonios no me traes tu amor?*

Algunos pacientes se volvieron y miraron.

—Gloria, estoy seguro de que no hay nadie que se preocupe por ti más que yo.

—¿Quieres traerme bombones? Bueno, pues ¡métete los bombones por el culo!

Harry sacó una tarjeta de su cartera. Era del hotel. Se la dio.

—Quiero darte esto antes de que me olvide. ¿Te permiten hacer llamadas? Si quieres cualquier cosa, sólo tienes que llamarme.

Gloria no contestó. Cogió la tarjeta y la dobló. Luego se agachó, se quitó un zapato, metió la tarjeta dentro y volvió a ponerse el zapato.

Entonces Harry vio al doctor Jensen que cruzaba el jardín hacia ellos. El doctor Jensen se acercó sonriendo y diciendo:

—Bueno, bueno, bueno...

—Hola, doctor Jensen —dijo Gloria, sin la menor emoción.

—¿Puedo sentarme? —preguntó el doctor.

—Claro —dijo Gloria.

El doctor era un hombre corpulento. Rezumaba peso, responsabilidad y autoridad. Sus cejas parecían gruesas y espesas; *eran* gruesas y espesas. Querían deslizarse y desaparecer dentro de su boca redonda y húmeda pero la vida no se lo permitiría.

El doctor miró a Gloria. El doctor miró a Harry.

—Bueno, bueno, bueno —dijo—. Estoy realmente *satisfecho* de los progresos que hemos hecho hasta el momento...

—Sí, doctor Jensen, justamente le estaba contando a Harry lo mucho más *estable* que me siento, cuánto me han ayudado las consultas y la terapia de grupo. Eso me ha librado de gran parte de mi furia irracional, de mi frustración inútil y de mucha autocompasión destructiva...

Gloria estaba sentada con las manos entrelazadas sobre la falda, sonriendo.

El doctor sonrió a Harry.

—Gloria ha experimentado una *notable* recuperación.

—Sí —dijo Harry—, lo he notado.

—Creo que será cuestión de sólo un *poquito* más de tiempo y Gloria volverá a estar en casa con usted, Harry.

—Doctor —preguntó Gloria—, ¿puedo fumarme un cigarrillo?

—Por supuesto, mujer —dijo el doctor, a la vez que sacaba un paquete de cigarrillos exóticos y le daba un golpecito para sacar uno. Gloria lo cogió y el doctor alargó su encendedor dorado y lo accionó con el dedo. Gloria inhaló y soltó el humo.

—Tiene unas manos preciosas, doctor Jensen —dijo ella.

—Ah, gracias, querida.

—Y una bondad que salva, una bondad que cura...

—Bueno, hacemos todo lo que podemos en este viejo edificio... —dijo suavemente el doctor Jensen—. Ahora, si me disculpan, tengo que hablar con algunos pacientes más.

Levantó con facilidad su corpachón de la silla y se dirigió hacia una mesa donde otra mujer estaba visitando a otro hombre.

Gloria miró fijamente a Harry.

—¡Ese gordo cabrón! Se toma la mierda de las enfermeras para almorzar...

—Gloria, me ha encantado verte, pero he estado conduciendo muchas horas y necesito descansar. Y creo que el doctor tiene razón. He notado algunos progresos.

Ella se rió. Pero no era una risa alegre, era una risa teatral, como un papel memorizado.

—No he hecho ningún progreso en absoluto; de hecho, he *retrocedido*...

—Eso no es cierto, Gloria...

—Yo soy la paciente, cabeza-de-pescado. Yo soy la que mejor puede hacer un diagnóstico.

—¿Qué es eso de «cabeza-de-pescado»?

—¿Nadie te ha dicho nunca que tienes la cabeza como un pescado?

—No.

—La próxima vez que te afeites, fíjate. Y ten cuidado de no cortarte las agallas.

—Me voy a marchar..., pero mañana volveré a visitarte.

—La próxima vez trae al director.

—¿Estás segura de que no quieres que te traiga nada?

—¡Lo que vas a hacer es volver a esa habitación del hotel a follarte a alguna puta!

—¿Y si te trajera un ejemplar de *New York*? A ti te gustaba esa revista...

—¡Métete *New York* por el culo, cabeza-de-pescado! ¡Y después puedes seguir con el TIME!

Harry se inclinó por encima de la mesa y le apretó la mano con la que se había golpeado la nariz.

—Mantén la entereza, sigue intentándolo. Pronto te pondrás bien...

Gloria no dio señal de haberle oído. Harry se levantó lentamente, se volvió y se encaminó hacia la escalera. Cuando había subido la mitad, se volvió y dijo adiós a Gloria con la mano. Ella siguió sentada, inmóvil.

Estaban a oscuras y todo iba bien, cuando sonó el teléfono.

Harry siguió con lo suyo, pero el teléfono continuó sonando. Era muy molesto. Enseguida se le puso blanda.

—Mierda —dijo, y se quitó de encima. Encendió la lámpara y cogió el teléfono.

—¿Dígame?

Era Gloria.

—¿Te estás follando a alguna puta?

—Gloria, ¿te dejan telefonear a estas horas de la noche? ¿No te dan una píldora para dormir o algo?

—¿Por qué has tardado tanto en coger el teléfono?

—¿Tú no cagas nunca? Pues yo estaba a la mitad de una soberbia cagada, me has cogido justo a la mitad.

—Apuesto a que sí... ¿Vas a terminarla después de hablar conmigo?

—Gloria, es tu maldita paranoia extrema la que te ha conducido a donde estás.

—Cabeza-de-pescado, *mi* paranoia casi siempre ha sido el presagio de una verdad que iba a ocurrir.

—Oye, estás desvariando. Trata de *dormir*. Mañana iré a verte.

—¡Muy bien! ¡Cabeza-de-pescado, acaba de FOLLAR!

Gloria colgó.

Nan estaba en bata, sentada en el borde de la cama, y tenía un whisky con agua sobre la mesilla. Encendió un cigarrillo y cruzó las piernas.

—Bueno —dijo—, ¿cómo está tu mujercita?

Harry se sirvió una copa y se sentó a su lado.

—Lo siento, Nan...

—¿Lo sientes por qué? ¿Por quién? ¿Por ella o por mí o por qué?

Harry vació su lingotazo de whisky.

—No hagamos un maldito melodrama de esto.

—¿Ah, sí? Bien, ¿qué quieres que hagamos de esto? ¿Un simple revolcón en la hierba? ¿Quieres que volvamos a ello hasta que acabes o prefieres meterte en el cuarto de baño y cascártela?

Harry miró a Nan.

—¡Maldición! No te hagas la lista. Tú conocías la situación tan bien como yo. ¡*Tú* fuiste la que quiso venir conmigo!

—¡Pero es porque sabía que, si no venía, te traerías a alguna puta!

—Mierda —dijo Harry—, otra vez *esa* palabra.

—¿Qué palabra? ¿Qué palabra? —Nan vació su vaso y lo tiró contra la pared.

Harry fue hasta allí, recogió el vaso, volvió a llenarlo, se lo dio a Nan, luego llenó el suyo.

Nan bajó la mirada hacia su vaso, dio un trago, lo puso sobre la mesilla.

—¡La voy a llamar, se lo voy a contar todo!

—¡De eso ni hablar! Es una mujer *enferma*.

—¡Y *tú eres* un enfermo hijo de puta!

Justo en ese momento el teléfono sonó otra vez. Estaba en el suelo, en el centro de la habitación, donde Harry lo había dejado. Los dos saltaron de la cama hacia el teléfono. Al segundo timbrazo los dos estaban en el suelo, agarrando una parte del auricular cada uno. Giraron una y otra vez sobre la alfombra, respirando pesadamente, con las piernas y los brazos y los cuerpos en una desesperada yuxtaposición. Y así se reflejaban en el espejo que había en el techo de pared a pared.

LOS ESCRITORES

Harold llamó a la puerta del apartamento.

Nelson estaba sentado a la mesa de la cocina comiendo un trozo de tarta de queso y bebiendo una taza de café express.

—¿Sí? —preguntó Nelson. Los golpes a la puerta le ponían nervioso. Y cuando se ponía nervioso desarrollaba un tic en la cabeza. Su cabeza empezaba a hacer reverencias.

—¿Quién es?

—Nelson, soy Harold.

—Ah, un momento.

Nelson cogió lo que quedaba de la tarta de queso y se lo metió en la boca. Mientras masticaba se le humedecieron los ojos. Pesaba 20 kilos de más. Tragó el último trozo, se precipitó hacia el fregadero, echó agua sobre el plato, se lavó las manos, después se fue hacia la puerta, quitó la cadena, giró el pomo y abrió la puerta.

Harold entró. Medía 1 metro 52 cm y era delgado. Tenía 68 años. Nelson tenía unos 30 años menos. Ambos eran escritores pero sólo escribían poesía. Sus libros se vendían muy de vez en cuando y era un secreto bien guardado cómo podían sobrevivir. Ambos contaban con canales de ingresos furtivos provenientes de algún sitio. Pero ninguno hablaba de ello.

—¿Quieres un café express? —preguntó Nelson.

—Bueno, sí...

Harold se sentó. Nelson le trajo una taza enseguida. Después Nelson se sentó a su lado en el sofá junto a la mesita.

La cabeza de Nelson empezó a hacer reverencias y a sacudirse de nuevo.

—Bueno, Harold, fui a ver al hijo de puta. Me concedió una entrevista.

Harold levantó su taza a medio camino hacia la boca. Se detuvo.

—¿Follawski? —preguntó.

Así era como ellos llamaban a aquel escritor.

—Sí.

Harold dio un sorbo, volvió a poner la taza sobre la mesa.

—Creía que ya no veía a nadie.

—¿Estás de broma? Ve a casi todas las malditas mujeres que le escriben o le llaman. Intenta emborracharlas, les hace promesas, cuenta mentiras, se pone pesado con ellas y, si no ceden, las viola.

—¿Y cómo justifica todo eso?

—Afirma que necesita algo sobre lo que escribir.

—¡Qué jodido viejo verde!

Continuaron sentados un rato pensando en aquel jodido viejo verde. Entonces Harold preguntó:

—¿Y cómo te permitió que fueras a visitarlo?

—Probablemente para dar la matraca. Ya sabes, yo lo conocí justo cuando acababa de dejar la fábrica y había decidido intentar convertirse en escritor. Ni siquiera tenía papel higiénico para limpiarse el culo. Usaba papel de periódico arrugado.

—¿Así que le viste, Nelson? ¿Y qué pasó? ¿Estaba borracho?

—Claro, Harold, estaba borracho como una cuba.

—Se cree que eso es de machos. Me da asco.

—No es tan macho. Tod Winters me contó que una noche le dio una paliza que casi lo mata.

—¿De verdad?

—De verdad. Eso es algo de lo que no escribirá nunca.

—Ni soñarlo.

Continuaron sentados sorbiendo sus cafés express.

Nelson hurgó en el bolsillo de su camisa y sacó un purito. Se lo llevó a la boca, rasgó el celofán con los dientes. Después le quitó uno de los extremos, se lo metió en la boca, se estiró para coger un cenicero de encima de la mesa.

—Oh, no enciendas *eso*, Nelson, ¡es una costumbre *asquerosa*!

Nelson se quitó el purito de la boca y lo tiró sobre la mesa.

—Y es que, Nelson, *aparte* de la maldita peste que echa, está el cáncer.

—Tienes razón.

Se quedaron otra vez en silencio durante un momento, pensando más en Follawski que en el cáncer.

—*Bueno*, Nelson, ¡dime qué te dijo!

—¿Follawski?

—¿Quién va a ser?

—Bueno, Harold, ¡se rió de mí! Dijo que yo nunca lo lograría.

—¿*De veras*?

—De veras. Imagínatelo sentado con sus tejanos rotos, descalzo, con una camiseta sucia. Vive en esa casa enorme, con 2 coches nuevos en el garaje. Está detrás de una gran cerca. Tiene un sistema de seguridad carísimo. Y vive con esa chica tan guapa que es 25 años menor que él...

—No sabe escribir, Nelson. No tiene vocabulario, no tiene estilo. Nada.

—Sólo vomitar y follar y putear, Harold, eso es todo...

—Y odia a las mujeres, Nelson.

—Pega a sus mujeres, Harold.

Harold se rió.

—¡Dios mío! ¿No has leído nunca ese poema en el que se lamenta de que las mujeres nazcan con *intestinos*?

—Harold, es un tipo condenadamente barriobajero. ¿Cómo logra vender?

—Tiene lectores barriobajeros.

—Sí, escribe sobre apuestas, borracheras..., una y otra vez.

Se quedaron pensando sobre eso un momento.

Entonces Harold suspiró.

—Y es famoso en toda Europa, y ahora está llegando a Sudamérica.

—Un cáncer de imbecilidad, Harold.

—Pero *aquí* no es tan famoso, Nelson. En los Estados Unidos le tenemos calado.

—*Nuestros* críticos *saben* quién es *auténtico*.

Nelson se levantó y volvió a llenar las tazas, luego se sentó.

—Y hay otra cosa, ¡algo *desagradable*! ¡Bastante!

—¿El qué, Nelson?

—Se hizo un chequeo general. El primero de su vida. Tiene 65 años.

—¿Y qué?

—Limpio y transparente. Tiene los resultados guardados debajo de una botella de vodka. Los he visto. Se ha bebido suficiente matarratas como para destruir a un ejército. La única vez que no bebió nada fue cuando estuvo en chirona por borracho. Lo único que no dio normal en el chequeo fueron los triglicéridos, tiene 264 menos de los que hay que tener.

—¡Al menos le pasa algo!

—De todos modos, no es justo. Ha enterrado a casi todos sus amigos borrachos y a alguna de sus amigas borrachas.

—Ha tenido suerte no sólo con la escritura, Nelson.

—Es como un perro que hubiera logrado cruzar sin mirar una autopista congestionada sin ser atropellado.

—¿Y le preguntaste cómo es eso?

—Sí. Se rió de mí. Dijo que los dioses están de su parte. Dijo que es su karma.

—¿Karma? ¡Si ni siquiera sabe lo que *significa* esa palabra!

—Fanfarronea, Harold. Fui a una lectura de sus poemas y cuando uno de los estudiantes le preguntó qué pensaba que era el existencialismo, le contestó que «pedos de Sartre».

—¿*Cuándo* van a *ponerle en evidencia*?

—¡No *veo* el momento!

Sorbieron sus cafés express.

Entonces la cabeza de Nelson empezó a saltar y a hacer reverencias otra vez.

—¡Follawski! ¡Es tan *feo*! ¿Cómo puede una mujer besarlo sin *vomitar*?

—¿Tú crees que realmente ha conocido a todas esas mujeres sobre las que escribe, Nelson?

—Bueno, yo he conocido a algunas. Y tienen bastante buen aspecto. No lo entiendo.

—Le tienen lástima. Es como un perro con sarna.

—Que cruza una autopista congestionada sin mirar.

—¿Por qué seguirá teniendo suerte?

—Mierda, yo qué sé. Cada vez que sale se mete en un lío. Lo último que he oído es sobre un editor que lo llevó a él y a su novia al Polo Lounge. Se levantó de la mesa para ir al lavabo de caballeros y se perdió. Se dedicó a dar vueltas diciéndole a la gente que eran todos unos impostores. Cuando el maître se acercó para ver qué era aquel escándalo, él le amenazó con una navaja. Ahora no le está permitida la entrada al Polo Lounge.

—¿No te enteraste de cuando lo invitaron a la casa de ese profesor y se meó en un tiesto con flores y prendió fuego al gallinero?

—No tiene ni un puto gramo de clase.

—Nada en absoluto.

Otra vez se sumieron en un silencio momentáneo.

Entonces Harold suspiró.

—No sabe escribir, Nelson.

—Y no tiene educación literaria, Harold.

—Es un maleducado y un mal leído, Nelson.

—Un pichaboba. Un completo pichaboba. Le odio.

—¿Por qué lo leen? ¿Por qué compran sus libros?

—Es por el estilo simple que tiene. Esa falta de profundidad les da confianza.

—¡Aquí *nosotros* escribiendo algunos de los versos más grandiosos del siglo xx y ese pichaboba de Follawski llevándose los aplausos!

—Tiene un espíritu despreciable.

—Es un impostor.

—¿Cómo puede una mujer *besar* esa cara tan *fea*?

—¡Tiene los dientes *amarillos*!

Entonces sonó el teléfono.

—Disculpa, Harold...

Nelson contestó el teléfono.

—Dígame... Ah, mamá... ¿Qué? Bueno, no lo sé. No, no creo que sea una buena idea. No, no lo creo. Bien, mamá, vamos a dejar este asunto... Ya sé que tenías la mejor intención. Vale. Oye, mamá, ahora estoy en una reunión. Estamos trabajando en la organización de una lectura de poesía en el Hollywood Bowl. Te llamaré pronto, mamá. Un beso...

Nelson colgó de un golpe.

—¡ESA PUTA!

—¿Qué pasa, Nelson?

—¡Está tratando de encontrarme un TRABAJO! ¡ESO ES LA MUERTE!

—¡Santo cielo! Pero ¿es que no comprende?

—Me temo que no, Harold.

—¿Follawski ha tenido madre alguna vez?

—¿Estás bromeando? ¿Que una cosa así venga de otro *cuerpo*? ¿Un cuerpo *humano*? Imposible.

Entonces Nelson se levantó y comenzó a deambular por la habitación. Su cabeza se sacudía más que nunca.

—¡DIOS MÍO, ME CANSA TANTO ESPERAR! ¡ES QUE NADIE PERCIBE EL GENIO!

—Bueno, Nelson, *mi* madre, no. Hasta la noche en que murió, no. Pero, al menos, sí *tuvo* inteligencia suficiente para ahorrar e invertir su dinero.

Nelson volvió a sentarse. Se cogió la cabeza con las manos.

—Jesús, Jesús...

Harold sonrió.

—Bueno, a *nosotros* nos recordarán 100 años después de que *él* haya muerto...

Nelson retiró las manos, miró hacia arriba. La cabeza rompió todos los récords de inclinaciones para arriba y para abajo.

—PERO ¿NO TE DAS CUENTA? ¡AHORA LAS COSAS SON DISTINTAS! ¡ES POSIBLE QUE PARA ENTONCES EL MUNDO HAYA VOLADO EN PEDAZOS! ¡NO SEREMOS APRECIADOS NUNCA!

—Sí —dijo Harold—, sí, eso es cierto. ¡Ah, qué maldición!

En algún lugar de una ciudad sureña Follawski estaba sentado a su máquina de escribir, borracho, escribiendo sobre dos escritores que había conocido. No era un gran relato, pero era necesario. Escribía un cuento al mes para una revista de sexo que publicaba religiosamente todo cuanto él les enviaba. Sin importar lo malo que fuese. Posiblemente, debido a su fama internacional.

A Follawski le gustaba que sus páginas aparecieran entre fotografías de coños despatarrados. Se imaginaba a alguna de las modelos de las fotos hojeando la revista y topándose con uno de sus relatos.

—¿Qué mierda es esto? —dirían.

Chicas, contestaría él si pudiese, esto es la frase simple, sin confusiones, el diálogo realista. Ésta es la forma en que debe hacerse. Y sólo podréis besar mi fea cara con los dientes amarillos en vuestros sueños. Yo ya estoy comprometido.

Follawski sacó la última página de la máquina, la unió con un clip a las otras y luego buscó un sobre de papel manila. Ésa era la parte más pesada del trabajo de ser escritor: meter lo escrito en el sobre, poner la dirección, pegar el sello y enviarlo, después, por correo.

Y normalmente le llevaba un par de copas de vino rematar una de las formas más bonitas que se han inventado para pasar la noche.

Se sirvió la primera.

BLOQUEADO

Eran las 11.45 de la mañana cuando sonó el teléfono. Martin Glisson estaba dormido. Cogió el teléfono del suelo.

—¿Sí? —preguntó.

—¿Martin?

—Sí.

—Soy el Roedor.

Era el director de una revista de Nueva York al que le gustaba llamarse a sí mismo «El Roedor».

—Oye, no tenemos nada tuyo. Sólo faltan seis días para el plazo de entrega.

—Vale, Roedor, te conseguiré algo.

Martin escribía una historia mensual para la revista *Sexerox*.

—¿Qué tal te va con las mujeres, Martin?

—Me estoy tomando un descanso. Me mantengo alejado de ellas.

—¿Y de dónde sacas el material?

—¿Y eso qué importa mientras esté bien?

—Tienes razón. Nos gusta tu material. Por lo que cuentas, debes de ser virgen, pero de todos modos necesitamos algo antes de seis días.

—Muy bien, Roedor. Cuelgo.

—Claro, Martin.

Martin dejó caer el auricular en la horquilla. Rodó hacia dentro de la cama. Se quedó panza abajo, con el rostro mirando hacia el este, hacia el sol. El alcohol le transpiraba por los poros. Había escrito 27 libros, había sido traducido a 7 u 8 idiomas y nunca había tenido un bloqueo de escritor, pero ahora tenía un jodido bloqueo de escritor.

Miró el sol. Hacía sólo 13 años que se había librado del trabajo de 8 horas. Ahora todo el TIEMPO era suyo. Cada segundo, cada minuto, cada hora, cada día. Cada noche. Era escritor. Escritor. Escritor. Escritor profesional. Había 12 millones de personas en los Estados Unidos que querían ser escritores. Él era escritor.

Martin salió de la cama y fue al cuarto de baño, dejó correr el agua de la bañera, luego se acercó al retrete y se sentó. Sabía cuál era su problema: no podía llegar hasta la máquina de escribir. Estaba en la otra habitación. Lo único que tenía que hacer era ir hasta allí y sentarse a la máquina y las ideas acudirían a él. Pero no podía hacerlo. Entraba allí, miraba la máquina, pero no se sentaba. No podía. Y no sabía exactamente por qué.

Bueno, por lo menos, podía defecar.

Martin se limpió, miró hacia abajo, tiró de la cadena mientras pensaba: El límite entre escribir y defecar es una línea muy fina.

Fue hacia la bañera, agregó un poco de agua fría y se metió...

Escribir te empuja a espacios aéreos, te convierte en un extraño, en un inadaptado. No es raro que Hemingway se volara los sesos por encima del zumo de naranja. No es raro que Hart Crane se tirase a la hélice, no es raro que Chatterton se tomara un matarratas. Los únicos que continuaban eran los que escribían best-sellers, y ésos no estaban escribiendo, ésos ya estaban muertos. Y tal vez él estuviese muerto también: poseía una casa en propiedad con su sistema de seguridad, tenía una máquina de escribir IBM eléctrica, tenía un Porsche y un BMW en el garaje. Pero hasta ahora se había resistido a la piscina, al jacuzzi y a la pista de tenis. ¿Estaría, quizá, sólo medio muerto?

Sonó el teléfono. Sonrió: Métete en la bañera y sonará el teléfono. El teléfono sonaba siempre que estaba follando. Ya no lo hacía. Era escritor, no podía perder el tiempo follando. Necesitaba el tiempo para escribir relatos sobre sexo.

Salió de la bañera, mojado, chorreando, fue hacia el dormitorio, cogió el teléfono.

—¿Sí?

—¿Martin Glisson?

—Sí.

—Le llamo de la consulta del doctor Warner para recordarle que tiene una cita a la 1:00.

—¡Mierda!

—¿Cómo?

—Quiero decir que ¿para qué es?

—Es su cita semestral para la revisión y la limpieza de dientes.

—Está bien, gracias...

Martin no regresó a la bañera. Simplemente fue hacia la cama, se tumbó y giró varias veces sobre las sábanas para secarse. Todavía le quedaba algo de originalidad.

Luego se vistió y salió. Miró los dos coches y eligió el BMW. Sentía la necesidad de un pequeño cambio.

Más tarde, en la consulta del dentista, comunicó su llegada a la recepcionista. La chica le pidió por favor que se sentara, luego cerró la puerta corredera de cristal. A él nunca le gustó aquello de que cerraran la puerta corredera de cristal. Realmente era una afrenta que a uno lo dejaran fuera de esa forma. O quizá no querían que oyera los gritos provenientes del sillón del dentista. Bueno, ¡qué importaba!

Martin atravesó la habitación, se sentó y cogió una revista.

Lo que le gustaba de *Sexerox* era que publicaban todo lo que se les mandaba. Ahora debería intentar en serio escribir algo, aunque sólo fuera para mantener abierta esa puerta. Tal vez no tuviese un bloqueo de escritor. Tal vez sólo creía que tenía un bloqueo de escritor. Pero el resultado final era el mismo.

Se había olvidado las gafas de leer. Aun así, siguió pasando las páginas de la revista. De todos modos no podía leer revistas, incluso con gafas. No le importaban los deportes, ni los asuntos internacionales, ni el cine, el teatro, la nobleza, ni siquiera si se acababa el mundo o no.

—¡Hola, señor!

Era una niña de unos 5 años, vestida con un bonito vestido azul y zapatos blancos. Era rubia y llevaba un lazo rojo en el pelo. Tenía unos hermosos ojos grandes y marrones.

—¡Hola! —contestó Martin, y luego volvió a mirar la revista.

—¿Le van a sacar una muela? —preguntó la niñita.

Martin volvió a levantar la mirada.

—¡Huy! No lo sé. Espero que no.

Martin volvió a mirarla. Realmente era una cosita preciosa. Pero, probablemente, cuando creciese se transformaría en una rompehuevos.

—Qué cara más graciosa tienes —dijo ella.

Martin sonrió.

—Tú también tienes una cara muy graciosa.

Se rió. Era una risilla grandiosa, fresca y limpia, que le recordaba los cubitos de hielo en el fondo de un vaso. No, eso era una chorrada. La risa era otra cosa. ¿Qué?

Ya está, ahí lo tienes, pensó Monty: *un hombre abusa de una niñita en la sala de espera del dentista, mientras a su mamá le sacan una muela del juicio. Y hazlo realista y terrible, aunque con humor. El hombre quiere pero no quiere, y sin embargo la niña, a su modo, es la que le induce a ello. Cuando sale, la madre se encuentra con que él tiene las braguitas de la niña sobre la cabeza.*

—¿Dónde está tu mamá? —le preguntó Martin a la niñita.

—Le están sacando una muela.

—Ah...

Martin volvió a bajar la mirada hacia la revista.

—¿Por qué no vienes aquí y me lees algo? —preguntó la chiquilla.

Martin la miró.

—No veo bien. Me he olvidado las gafas.

130

—Ven e inténtalo de todos modos —dijo sonriendo.

«Qué niñita tan extraña», pensó, «valiente atrevida.»

Martin fue hasta ella, se sentó en una silla contigua, la movió y la puso pegada a la de ella.

—Y ahora, ¿qué quieres que te lea?

—Léeme algo de la revista que tienes en la mano.

Martin apenas podía ver las letras. Le leyó. Trataba sobre los problemas de seguridad en los próximos juegos olímpicos. Era todo muy aburrido. A él le importaban un pito los juegos olímpicos. Pero la chiquitina parecía muy interesada en los problemas de seguridad en los próximos juegos olímpicos. Sintió cómo su bracito rozaba el suyo y cómo su cabecita se acercaba a la suya como para oír mejor. Sintió cómo los cabellos de ella le hacían cosquillas en la cara. Se le quebró la voz.

Ahora, pensó, *el hombre de mi relato estiraría el brazo y le cogería la pierna. Suavemente. Ése sería el comienzo...*

Justo entonces se abrió la puerta de la consulta del dentista y salió una mujer grandota con blusa, pantalones y sandalias.

—¡Vamos, Vera, ya podemos irnos a casa!

Vera sonrió a Martin.

—¡Gracias, señor!

—¿Le ha molestado, caballero? Es un poco pesada, ¿verdad?

—Oh, no —dijo Martin—, se ha portado muy bien...

La niñita y su madre se fueron y Martin devolvió la revista a la mesa. Quizá escribiría aquella noche. Sencillamente entraría y se sentaría a la máquina, abriría la botella de vino y encendería la radio. El resto vendría solo. Su problema era esa mezcla de inseguridad y confianza extrema.

Entonces se abrió la puerta del consultorio y la ayudante del dentista dijo:

—Señor Glisson, pase por aquí, por favor.

Siguió a la ayudante del dentista.

—Primera puerta a la derecha —dijo, y después se detuvo y le dejó pasar.

Martin se instaló en el sillón, como un viejo profesional, con las piernas estiradas. La chica miró su ficha.

—Bien, veo que la última vez le hicimos una placa, así que en esta visita no será necesario, a menos que haya tenido algún problema últimamente. ¿Ha tenido dolores o alguna molestia?

—En los dientes no —dijo Martin.

—Ahora, abra la boca —dijo la chica.

Empezó a examinarle.

—Mmmmmm, parece que todo está bien..., tiene un poco de sarro, pero no veo ninguna señal de caries.

—Bien...

—Así que ¿qué tal le va, señor Glisson?

—Muy bien. ¿Se acuerda usted de mí?

—Sí, claro.

—Bien, y a usted, ¿qué tal le ha ido?

—Todo va bien, excepto que hemos perdido nuestro caballo.

—¿Caballo?

—Sí, teníamos un caballo de paseo. Se murió casi de la noche a la mañana. ¡Fue muy triste!

—Sí, esas cosas ocurren. Mi gato también se murió.

—Ahora abra la boca y empezaré. Y usted sólo tiene que sostener esto. Cuando yo le diga, lo único que tiene que hacer es ponérselo en la boca. Como una pajita.

Ella le alcanzó el pequeño instrumento de aspirar la saliva y la sangre de la boca.

—Sí —dijo Martin—. Me acuerdo de cómo funciona.

La ayudante del dentista empezó hurgarle los dientes. No era atractiva, pero tampoco era fea. Una buena madre de familia de unos 35 años, bastante inteligente, tal vez un poco gordita, tal vez un poco rechoncha, pero pulcra: sencillamente una buena mujer.

Ahora, pensó Martin, *¿qué te parece la siguiente?: Hombre al que están limpiando los dientes en el sillón del dentista. Primera hora de la tarde. Un poco de conversación aburrida. El hombre tiene una resaca horrible. Últimamente se ha sentido raro. No loco, ni nada*

por el estilo, solamente raro. La vida ha ido pasando, pasando y pa-
sando sin demasiadas diversiones. Los hados no le han molestado.
La vida ha sido simplemente una cuestión de comer, beber, dormir.
Nada grande, nada pequeño. Ni siquiera una rutina, pero tampoco
nada eterno. Y entonces el hombre lo hace, apenas sin saber por qué,
apenas sin pensarlo, simplemente lo hace. Como si se tratase de aga-
charse y coger una moneda del suelo: estira el brazo y mientras la
ayudante está raspando el sarro de los dientes, le agarra el culo con
una mano, le da un buen sobe y, después, lo suelta.

La chica no dice nada, continúa simplemente raspando el sarro.
Bueno, sí, dice «ahora» y él lo acerca y se pone en la boca el instru-
mento de aspirar la saliva y la sangre.

Deja caer el instrumento y extiende los dos brazos y le coge ambas
nalgas y hunde en ellas sus garras, la suelta. La chica sigue raspando.

Entonces levanta con las dos manos su falda almidonada, le toca
las bragas, empieza a bajárselas. Ella sigue raspando, sin decir nada...

Entonces oyó el grito de la ayudante del dentista.

—¡EH! ¿QUÉ ESTÁ USTED HACIENDO?

Martin se incorporó en el sillón. Ella había retrocedido hasta
el otro lado de la habitación. Tenía los ojos como platos. Volvió
a gritar.

—PERO ¿QUÉ LE PASA? ¿ESTÁ USTED LOCO?

El dentista, el doctor Warner, entró corriendo.

—¿Qué pasa, Darlene?

—¡ESTE LOCO ACABA DE METERME MANO!

—¿Ha hecho usted eso, caballero?

—Quizá. No lo sé.

—¡BUENO, PUES YO SÍ LO SÉ! ¡MALDITA SEA, ME HA AGARRADO
EL CULO!

—No lo he hecho a propósito, ha sido como un sueño...

—Pero usted no puede ir por ahí haciendo esas cosas —dijo
el doctor Jensen.

—Ya lo sé. Sé que ha estado mal. No sé qué decir.

—¡VAMOS A LLAMAR A LA POLICÍA! ¡QUE LE METAN PRESO! ¡ES
PELIGROSO! —gritó la ayudante dental.

—Tiene razón —dijo Martin—, llame a la policía. Yo esperaré. Probablemente necesito que me encierren. Lo que he hecho ha sido absolutamente idiota. Lo siento; aunque «sentirlo» no sea suficiente.

—Está bien, Darlene —dijo el doctor Warner—, ve a llamar a la policía.

—No —dijo Darlene—, que se marche de una vez lejos de aquí. Me pone enferma. ¡Que se marche de una vez!

Martin apenas podía creer lo que decía aquella mujer.

—Gracias —le dijo a la ayudante dental—, no puedo expresarle suficientemente mi agradecimiento. Créame, ¡nunca volveré a hacer ese tipo de cosas! Así que ayúdeme.

—¡Salga inmediatamente de aquí —dijo Darlene— antes de que cambie de opinión!

—Váyase. Es mejor que se vaya —dijo el doctor Warner.

Martin se bajó del sillón y salió de allí, atravesó el vestíbulo y abrió la puerta que daba a la sala de espera, la cruzó y salió a la calle. Vio el BMW, buscó las llaves, abrió la puerta, entró. Arrancó el coche y lo sacó de allí. Condujo por el boulevard principal y se detuvo a esperar frente al semáforo rojo. Se puso verde y él giró a la derecha y se metió en la corriente del tráfico. Martin continuó conduciendo, simplemente siguiendo el tráfico. Entonces llegó a otro semáforo rojo y se quedó allí sentado entre los coches que esperaban, pensando «Ellos no lo saben, esta gente no me conoce». Entonces aquel semáforo se puso verde y continuó conduciendo, siguiendo el tráfico. Iba en dirección equivocada, alejándose de su casa, pero no parecía importarle.

NO HAY CANCIONES DE AMOR

Querido editor:

Me doy cuenta de que se me ha pasado el plazo de entrega, pero he estado liado con trivialidades como discusiones con el sexo femenino, el coche que se ha roto, una semana con un invitado en casa y varias cosas más que ahora no recuerdo. Una que sí recuerdo es que tenía que renovar el carnet de conducir. Cada vez que renuevo el carnet de conducir me doy cuenta de cómo he envejecido, es un signo de que se está caminando hacia la tumba, un signo más expresivo que el Año Nuevo o los cumpleaños, y a pesar de que realmente no me importa morir, me desagrada la certeza del hecho. Así que cada cuatro años, en el momento de renovar el carnet de conducir, decido coger una tremenda borrachera. Pues bien, habiéndolo hecho, iba conduciendo al día siguiente hacia el Departamento de Vehículos de Motor de Hollywood, pero me dolía demasiado la cabeza para enfrentarme a ello. Parecía que iba a desmayarme. Así que cogí a la derecha, encontré un bar cerca de Hollywood Boulevard, creo que sobre Las Palmas o Cherokee, aparqué, salí, entré, me senté, el camarero me trajo una Heineken, sin vaso, y di un buen trago...

Un par de taburetes más allá estaba sentada una tipeja que parecía tener cerdas de puerco espín por pelo. Y parecía como si hubiese hecho un agujero en el centro de una sábana, una sábana sucia, hubiera metido en él la cabeza y se hubiera puesto aquella condenada cosa.

—Hola —dijo.

Yo la miré más directamente.

—Soy Helena, la gitana —dijo.

—Phillip Messbell, controlador aéreo en paro —contesté.

—¿Te leo la mano, Phillip?

—¿Cuánto?

—Una cerveza.

—De acuerdo.

Helena arrastró su sábana Ku Klux Klan hacia el taburete que había junto al mío, cogió mi mano izquierda, le dio la vuelta y empezó a pasarme el dedo por la palma.

—Ah —dijo—, tienes una línea de vida muy *larga*. Vas a vivir un rato *largo*.

—Ya lo he hecho. Dime algo nuevo.

—Ah. —Frotó un poco más—. Tu cerveza favorita es la Heineken.

—Te he dicho que cortes el rollo.

—¡Oh, *ya* lo veo! —exclamó.

—¿Sí? ¿Qué?

—Antes de una hora vas a estar follando.

—¿Con quién? ¿Contigo?

—Puede. ¿Tienes 25 dólares?

—No.

—Entonces, conmigo no.

Consiguió su cerveza, yo me acabé la mía y salí de allí. Me metí en el coche y cogí a la izquierda hacia el Departamento de Vehículos de Motor. Mi cabeza iba un poco mejor, pero yo seguía confuso. Tenía que aprobar aquel puñetero test sin haberme leído el libro de instrucciones, pero eso no me importaba. Lo que odiaba era estar en las largas colas y mirar las nucas. Las nucas no eran tan horribles como las caras, pero de todos modos era horroroso. Continué la marcha. Al arrancar en el siguiente semáforo sentí de pronto la necesidad de defecar. Para tener la mente libre de aquello eché una mirada al boulevard. Vi a aquella mujer joven sentada en el banco de la parada de autobús, podía haber

136

sido M. Monroe rediviva, sólo que un poco más ajada. Y con los flancos más rellenos y, ciertamente, una mirada más lasciva. Dirigí una sonrisa a su falda arremangada que enseñaba mucho más de lo que yo había visto desde hacía meses, y ella me vio mirarla y me devolvió la sonrisa. Yo sonreía. Ella sonreía. Era un mundo sonriente. Justo cuando el semáforo se ponía verde, se levantó de un salto y echó a correr hacia mi coche. Con la pierna derecha di una patada, la puerta se abrió volando y ella se deslizó dentro como una fruta madura a punto de caer del árbol.

El tipo del coche de detrás tocó el claxon y gritó: ¡SI ESA PUTA NO TE MATA, NO TE MATARÁ NADA!

Pisé el acelerador y salí zumbando. Cuando eché un vistazo, ella se estaba rascando el interior del muslo.

—Me llamo Rosie —dijo.

—Gordon Plugg —le dije.

—¿Quieres un Chapuzón? —me preguntó Rosie—, ¿o una Vuelta al Mundo? ¿Quieres un enema, un Perrito Caliente o Lluvia Dorada? ¿Disciplina Estricta? ¿Una Ventosa Chupadora? ¿Un Francés Completo? También hago el Tres Manos y el Lazo Malayo. ¿Qué quieres?

—Quiero renovar mi carnet de conducir —le dije.

—Eso serán 50 pavos.

—¿Tú haces eso?

—Sí.

—Muy bien.

Me miró mientras encendía lo que quedaba de un purito:

—Eres un vejestorio con un aspecto muy raro. Parece como si tuvieras que estar muerto pero te hubieras olvidado de hacerlo.

—Ya lo solucionaré.

—¿Qué problema tienes?

—Cosas que me preocupan todo el día y toda la noche, Rosie.

—Dime algunas...

—Pues, por ejemplo, cada vez que me pongo los pantalones por la mañana y bajo la mano siempre pienso *¿funcionará la cremallera?* Por supuesto, normalmente funciona. Pero lo que me preocupa es ¿por qué tengo que tener esos pensamientos? ¿Para qué me sirven? Es una pérdida de energía, una completa inutilidad.

—¿Por qué no vas a ver a un loquero?

—Lo que yo necesito es un loquero que no necesite un loquero y de ésos no hay muchos.

—¿Me estás diciendo que casi todo el mundo está chiflado?

—Bueno, casi todo el mundo tiene cremalleras. Sólo que su nivel de intensidad y confusión es diferente en lo que se refiere a las cremalleras y otras cosas de ese tipo...

Rosie bostezó.

—¿Está muy lejos tu casa?

—Mierda. Creí que íbamos a tu casa.

Rosie lanzó un aro de humo de su puro.

—Eso serán diez pavos más.

—Muy bien, pero sigo queriendo Renovar mi Carnet de Conducir.

—Lo tendrás.

—Eso ya será algo —dije.

—*Podría* hacerte un Batido-de-Plátano aquí mismo en el coche mientras vas conduciendo...

—No, quiero hacer ese asunto de Renovar mi Carnet de Conducir.

—¿Estás realmente *preparado* para eso?

—Cada cuatro años...

Rosie me guió a través de las calles y por fin llegamos a su casa. Parecía estar construida de contrachapado, los lados estaban un poco combados y el techo desnivelado. Pero había una palmera imponente delante.

Entré siguiendo su culo, que se bamboleaba, saltaba y cantaba pidiendo que lo liberaran de aquella falda, pidiendo liberar la electricidad de las glándulas del Hombre: esa electricidad hedionda que continúa propagando la fealdad de la especie a lo largo de centurias inútiles. Lo seguí, como otros antes que yo.

Rosie abrió la puerta de una patada y vi a algunos golfillos que estaban allí repantigados o yendo de acá para allá. Había un chiquillo inclinado sobre una maqueta de avión intentando encolarla. Rosie pasó junto a él y le dio una patada en el culo que lo mandó rodando hasta la pared de enfrente.

—¡DAVID, TE HE DICHO QUE DEJES DE ESNIFAR COLA! ¡ESO TE COME EL PUTO CEREBRO!

David sacudió la cabeza para aclararla, le hizo un gesto obsceno con el dedo y gritó:

—¡COME MIERDA Y MUÉRETE!

Otro chiquillo estaba sentado con una camiseta de Tim Leary. Parecía como si hubiera sido arrojado por el mar a las costas de la nada a la edad de cuatro años. Había una niña con una foto de Burt Reynolds. Apretaba la llama de un encendedor contra la magnífica y sonriente boca masculina. La boca ennegreció y se agujereó.

—Burnt Reinolds [1] —dijo.

Rosie me estaba mirando.

—Lo primero, el dinero...

Le di un billete de cincuenta y otro de diez, los puso en algún sitio y empezó a desnudarse mientras yo la miraba.

—Rosie —dije bajito—, los niños...

—No van a ver nada nuevo. Es como una película antigua, les aburre. Y a mí también me aburre...

—Pero Rosie, ¡yo quiero hacer el asunto de Renovar el Carnet de Conducir!

—Todos consiguen *siempre* aquello por lo que pagan.

Rosie apagó la luz, que colgaba de un cable, después se despatarró sobre una esterilla sucia, me acerqué, saqué el pajarito de la jaula, y me zambullí en la mágica inmensidad de aquel cuerpo: los pechos, los muslos. Soñé con nubes y cascadas, en tener suerte en algún juego sucio, y entonces pensé: Dios mío, si ni siquiera me he quitado la ropa, ni los zapatos. Mis dedos se hundieron en su pelo y parecía como si estuviese lleno de arena. Olía como los guantes de goma mojados. Me sentí triste. Tenía ganas de llorar pero

---

1. Juego de palabras entre *Burt* y *burnt*, «quemado». (*N. de las T.*)

no sabía por qué. Entonces la boca de Rosie se abrió bajo la mía. Está sola, pensé, está realmente sola. No, pensé, soy yo el que está solo. Tenía la lengua fría, la mordí y ella me hundió las uñas en la espalda, rasgándome la camisa. Noté que sangraba. Baje la mano hasta allí y empecé a juguetear, estaba muy bien, muy bien, y entonces me metí dentro y ella era muy buena, no era un conejito prieto, pero casi tan bueno como eso, y entonces ya no supe si era de día o de noche, ni dónde estaba, pero volví a bajar del cielo y pensé: Es sólo un sueño, un sueño estupendo, y me quedé sobre aquel cuerpo mágico, luego me quité de encima y...

Estaba de pie frente a una cámara, había una vieja gordísima, con ojos como nueces, más o menos de mi edad, que dijo:

—¡Venga sonría! ¡No le va a doler!

Sonreí. Hubo un flash...

—Le voy a dar el permiso provisional —me dijo la vieja—, y dentro de un plazo de 30 a 60 días recibirá por correo el permiso definitivo.

Entonces miré hacia abajo y me di cuenta de que tenía la cremallera bajada. Bajé la mano para subirla. Esta vez no funcionó. Estaba rota.

Fui hacia la salida y noté cómo el aire fresco me entraba en la espalda por el roto de la camisa. Mi coche estaba en el aparcamiento. Subí, encendí un cigarrillo, puse el coche en marcha. Salí del aparcamiento y fui conduciendo calle abajo. No había sido un mal día, y según el reloj del coche aún me quedaban muchas horas por delante. Quizá podría bajar a la playa o ir a ver una película. No me gustaban las películas, pero no había ido a ver ninguna desde hacía tiempo. Me decidí por eso. Encendí la radio del coche y sonaba una canción de amor, una canción de amor horrible. Era un mundo lleno de canciones de amor espantosas. Apagué la radio y entonces algo me recordó que aún tenía que defecar.

Encontré una gasolinera a tres manzanas, entré, bajé, me dirigí a los lavabos de caballeros. El encargado de la gasolinera me vio.

—Eh, amigo, llevas la cremallera bajada...

—Ya, ya lo sé...

—Oye —me dijo—, los tipos que usan los retretes tienen que consumir algo...

—Póngame aire en las ruedas —le dije.

Llegué al lavabo, entré en el retrete, incluso tenían fundas de papel. Coloqué tres juntas, me bajé los pantalones y la dejé salir. Entonces fue cuando vi tu revista allí en el suelo, con la portada rota y hecha pedazos y mojada, tan triste, sabes, allí en el suelo de la casa de cagar, y mientras descargaba recordé que se me había pasado el plazo de entrega y decidí escribirte y contártelo, y aquí está.

STRIKEOUT

Había 35 grados, era el segundo partido de un domingo de dos enfrentamientos. Los hinchas borrachos de cerveza llenaban las tribunas. Sus Bluejays habían perdido el primer juego y estaban perdiendo el segundo por 6 a 2 en el quinto período. Estaban perdiendo contra uno de los equipos de la cola, los Groundhogs. Todos los hinchas se sentían muy desgraciados. Podían haberse quedado en casa a emborracharse y haberse ahorrado algo de dinero. Podían haberse quedado en casa y haberles pegado a sus hijos y a sus perros. Estaba resultando un domingo caluroso e inútil y a la mayor parte de ellos les esperaba un empleo estúpido el lunes por la mañana. Los hinchas se sentían desgraciados y cabreados y los Bluejays se sentían igual.

El árbitro Harry Culver se inclinó hacia la base del bateador esperando el lanzamiento. Ocupó su posición detrás del receptor y esperó aquel maldito lanzamiento. Les tocaba batear a los Bluejays y los Groundhogs tenían en el montículo a un tipo que la lanzaba con efecto. Harry detestaba juzgar una pelota lanzada con efecto. Se volvía demasiado irregular en el último momento. Era mucho más fácil una curva lenta o una pelota rápida.

Monty Newhall, el mejor bateador de los Jays, con un promedio de .343, iba a batear. Dos hombres esperando en primera y tercera base, dos eliminados. La cuenta iba uno a uno. El tipo del órgano tocó los compases de ¡ATAQUE! Los hinchas borrachos gritaron y el lanzador la soltó. La pelota salió zumbando como una abeja enfurecida. En el último momento descendió y pasó sobre el borde de la base, a la altura de la rodilla.

—¡STRRRIKE! —gritó Harry Culver mientras señalaba con el brazo y la mano.

—Muy bien, Harold —dijo el receptor tirándose un pedo y devolviendo la pelota al lanzador.

—¡Mierda! —dijo Monty Newhall—, ¡tiempo!

El receptor se hizo a un lado diciendo:

—Cuidado, que tiene mal aliento, Harry, no le dejes que te bese.

El receptor era Johnny Acro, que se embolsaba 800.000 dólares al año. Monty Newhall fue hasta donde estaba Harry. Newhall se embolsaba 900.000 dólares al año. Todo el campo de béisbol estaba lleno de millonarios. Los pobres venían a ver jugar a los millonarios. Los millonarios invertían en artículos y formaban corporaciones. Lo único que tenían que hacer era golpear y coger esa pequeña pelota blanca durante unos pocos años, utilizar diferentes métodos para desgravar impuestos, y estaban salvados.

Newhall acercó mucho su cara a la de Harry.

—Mi carrera está en juego. Cada vez que te equivocas es como si me quitaras diez mil dólares del bolsillo.

—No me vengas con disparates —dijo Harry—. Mi decisión ha sido buena.

—¿Buena? ¿Cómo de buena?

—Como el agujero de un donut.

Newhall se rió.

—El calor te ha afectado, gordinflón. Lo que has dicho es una estupidez.

—Sí que lo es. Estoy muerto. Ha sido un día jodido, largo y caluroso.

—Ése es *tu* problema, gordinflón. No tienes ni puta idea de arbitrar.

—¡Vuelve a la caja antes de que te expulse del partido!

143

—¿Que me vas a *qué*?

—¡Ya me has oído!

Los hinchas gritaban y se metían más cerveza en el cuerpo. Cada vez que Newhall hablaba acercaba más su cara a la de Harry, haciéndole retroceder una y otra vez.

—Soy yo el que *manda* —dijo Newhall a Harry—. Tú no eres nada.

Entonces Whitey Thorenson, el mánager de Newhall, salió corriendo del banco y se lanzó hacia ellos. Fue a toda prisa y metió en medio su cara roja y regordeta.

—¿Qué le estás haciendo a mi chico? ¿Estás intimidando a mi chico?

—Su chico dejó pasar una pelota buena. Se ha intimidado a sí mismo.

Whitey se volvió hacia Newhall.

—¿Te ha estado insultando este tipo? Esa clase de mierda no está permitida, ya lo sabes.

—Creo que me ha insultado —dijo Newhall.

—Eres un jodido mentiroso —dijo Harry.

Los otros árbitros ya habían llegado a la base de *home*.

—¡Ya está bien, acabemos de una vez!

—Tengo todo bajo control —dijo Harry.

Ahora los hinchas aullaban de verdad mientras arrojaban al campo todo lo que tenían a mano: vasos de papel, gorras, calcetines empapados en cerveza, programas, comida...

—Has perdido el control —dijo el árbitro principal, Tony Pietro—. Tienes que restablecer el control.

—¡Maldita sea, Tony, *tú* manténte fuera de esto! ¡No necesito que tú me crees más problemas! ¡Ya tengo suficiente con mi mujer!

—Eh, oíd eso —dijo Whitey Thorenson—. ¡Mete la pata con una mala decisión arbitral y luego saca a relucir sus problemas personales! ¿Qué clase de profesional es éste?

—Ya está bien —dijo Harry—. Voy a despejar el campo. ¡Whitey, *fuera*! ¡Newhall, *fuera*! ¡*Fuera del campo*! ¡Vamos a continuar el partido! —Hizo un gesto dramático y radical señalando hacia el banco.

—Yo no voy a ninguna parte —dijo Newhall.

Vasos de papel y desperdicios varios caían por todos lados, golpeándoles en los hombros, la espalda, la cabeza...

—No tengo ningunas ganas de irme —dijo Whitey Thorenson.

—Ya han oído al árbitro —dijo Pietro—, ahora abandonen el campo para que podamos continuar el juego.

—Sí —dijo el otro árbitro.

—Escuchadme —dijo Whitey—. Con vosotros, chicos, no hay ningún problema, pero os digo que vuestro colega no es más que una mierda.

—¿Qué has dicho? —preguntó Harry.

—¡He dicho que eres una mierda!

Harry avanzó y empujó a Whitey con ambas manos.

La multitud enloqueció totalmente. El tipo del órgano sacó los compases de ¡ATAQUE!

—¡Eh, eh! —dijo Whitey—, ¡mirad al pequeñín de azul! ¡Se ha puesto furioso!

Los otros árbitros agarraron a Harry.

—Cálmate, que nos están filmando.

—Todo el mundo está mirando...

Entonces Whitey avanzó y empujó a Harry. Se agachó, cogió un puñado de tierra y se lo tiró a Harry a los pantalones. Luego se puso a dar vueltas alrededor de Harry lanzándole tierra con los pies.

—¡Tú no eres un hombre, gordinflón! ¡Por eso eres árbitro y además un árbitro de MIERDA!

Harry se abalanzó sobre Whitey y Whitey se hizo a un lado riéndose:

—¡Hey, pedazo de MIERDA!

Las tribunas enfurecieron y la gente empezó a intentar saltar al campo mientras la policía y los acomodadores trataban de detenerles.

Entonces todo sucedió rápidamente. Harry se abalanzó sobre

Whitey y le pegó un puñetazo en la barriga que le hizo doblarse hacia adelante, y mientras Whitey estaba doblado hacia adelante, Harry corrió hasta colocarse detrás de él y le dio una fuerte patada en el culo. Whitey cayó, cogiéndose el trasero, y Harry se abalanzó hacia Newhall, que empezaba a retroceder. Pero no pudo coger a Newhall. Los demás árbitros lo detuvieron.

En la oficina de los Jays, Harry respiraba con dificultad mientras se fumaba un cigarrillo. Fuera intentaban contener a la prensa. No era una oficina muy bonita para pertenecer a un boyante club de béisbol. Se percibía un suave olor a orina. Aquél era el lugar donde se hacían tratos multimillonarios en dólares. También era el lugar en el que se citaba a jugadores de béisbol millonarios para decirles que ya no se les necesitaba.

Harry oía a los hinchas gritando fuera mientras el partido continuaba, sin él, sin Whitey, sin Newhall y su promedio de .343, sus carreras completas, sus carreras bateadas y el total de sus bases. Ahora estaban todos sentados o de pie con el propietario de los Jays y algunas personas que él no conocía, personas que buscaban dentro de carteras y se susurraban cosas unos a otros...

Entonces entró el comisario de Béisbol, H. T. Faulkner.

Alguien dijo: «Hola, señor Faulkner.»

Harry metió el coche por la entrada de su casa de 65.000 dólares con una hipoteca de 39.000. Entró hasta el garaje, se bajó, pensando: «Sigo creyendo que fue un *strike*, volvería a gritar la misma decisión, pasase lo que pasase.» Salió del garaje y subió por el camino hasta la escalera, abrió la puerta y entró.

Susan estaba viendo «Viaje a las estrellas» en la tele. Los Klingon estaban manos a la obra. Spock estaba tranquilo, pero padecía una ineficacia temporal. Harry se acercó a Susan por detrás del sofá en el que estaba, le dio un beso en el cuello.

—¡Hola, nena!

Dio la vuelta y se sentó a su lado en el sofá.

—Jesús, ¿ésta no la has visto ya?

—Sí, pero a veces me pierdo cosas. La segunda vez coges cosas que la primera vez te has perdido.

—¿Dónde está Trina?

—Está por ahí fuera, jugando.

—Voy a cambiarme —dijo Harry—. Y a darme un baño.

—No te olvides —dijo Susan— de enjabonarte debajo de los brazos y sitios por el estilo.

—Muy bien...

Harry entró en el dormitorio, se quitó la ropa. Se sintió bien. Entró en el cuarto de baño, abrió el grifo de la bañera y se quedó mirando cómo se arremolinaba el agua. Se quedó allí de pie durante un rato.

SUSPENDIDO HASTA NUEVO AVISO, PENDIENTE DE INVESTIGACIÓN.

Cerró los grifos, probó el agua con la mano y se metió.

—¡Susan! —gritó—, ¿dónde está el jabón?

—No te oigo —gritó ella.

—Da igual —dijo.

A tomar por culo. Se estiró dentro de la bañera.

Sonó el timbre y Monty fue hacia la puerta, la abrió. Eran las 9 de la noche y era Harold Sanders.

—Hola, Harry, qué puntualidad.

—Dicen que si no puedes ser puntual, no podrás ser nada.

—Eso está bien. Entra. Siéntate donde te apetezca.

—¿Cómo está Debra? —preguntó Harry, sentándose en el sofá próximo a la mesa pequeña.

—Está bien. Bajará en un minuto.

La botella de vino ya estaba allí. Monty la descorchó y sirvió un par de copas.

—Éste sí que es un buen tinto, Harry, estoy seguro de que te gustará.

—Gracias, Monty.

Bebieron los dos.

Entró Debra con dos grandes cuencos, uno lleno de patatas fritas, el otro con frutos secos.

—Hola, Harry.

—Hola, Debra, estás espléndida.

—Gracias. Bueno, chicos, creo que es mejor que os deje para que charléis.

—No, Debra —dijo Monty—, no hay nada que no puedas oír. Quiero que te sientes con nosotros. ¿Te parece bien, Harry?

—Bueno —dijo Harry bajito—, está bien. Normalmente tratamos estos asuntos en privado, pero supongo que en realidad todos formamos una familia.

—Ya lo sé —dijo Monty—, por eso te pedí que vinieses aquí a casa.

—Es más agradable —dijo Harry.

—Servíos patatas —sugirió Debra. Se sentó en una silla cerca del extremo de la mesa pequeña. Así podía levantarse más fácilmente para ir a la cocina a buscar otra botella o cualquier otra cosa que fuese necesaria.

Harry cogió unas nueces, se las metió en la boca, masticó, bebió un trago de vino.

—Este vino es muy bueno —dijo.

—Bebe, bebe —dijo Monty—, tenemos mucho.

—A Harry también le gusta —dijo Debra—. Quiero decir, cuando está fuera de temporada...

—Bueno, ahora *estamos* fuera de temporada —dijo Harry—. De hecho, la temporada fue una especie de fuera de temporada.

—Sí —dijo Monty—, expulsado durante 14 partidos, eso no estuvo muy bien. Y justo después de ganar la copa.

Harry acabó su vaso.

—Qué mal, joder, fue realmente una mierda...

Entonces miró a Debra.

—Perdona la expresión...

Monty volvió a llenar el vaso de Harry. Harry bajó la mirada hacia su vaso. Monty se acabó el suyo.

Debra no bebía nada. Encendió un cigarrillo, echó una mirada a Harry.

Entonces habló Monty:

—¿No te da miedo este barrio negro, Harry?

—Espero tener ruedas cuando salga de aquí.

—¿Has aparcado en la entrada de mi garaje? Ahí no te pasará nada.

—Tú no *tienes* por qué vivir en este barrio, Monty.

—Me gusta vivir en la casa vieja cerca de mis hermanos. Y puede que un día necesite mi dinero.

—Sí, puede que sí.

Se volvió a hacer un silencio. Acabaron sus copas y Monty volvió a llenarlas.

—Quizá debería irme —dijo Debra.

—Tú te quedas, Debra. ¿Verdad, Harry?

—Como quieras.

—Sí, así es. Debra, ¿no nos traerías otra botella, por favor?

Debra salió de la habitación para ir a la cocina.

—Escucha, Harry, si tienes algo malo que decir, dilo ahora.

—Nada malo, sólo quiero ajustar ciertos detalles.

—No hay ningún detalle que ajustar. Me quedan dos años de contrato a 800.000 dólares al año garantizados *y* una cláusula de no cesión.

—Yo gano 90.000 dólares al año. Me siento como una tortuga frente a un elefante.

—Puedes arrancarme los dedos de los pies a mordiscos.

—Imposible. ¿Cómo es que no está aquí Feldstein, tu agente?

—*Todavía* no lo necesito. Sólo quiero oír primero lo que tienes que decirme.

—Jesús, Monty, no he venido hasta aquí para charlar. Quiero que lleguemos a algún tipo de acuerdo.

—Soy yo el que tiene la última palabra. Podemos llegar a un acuerdo sin Feldstein. *Si* me gusta lo que tienes que decirme.

Debra entró con otra botella. Monty le metió el sacacorchos.

—Gracias, Debra —dijo Harry—. Por cierto, ¿te importa si enciendo un puro?

—Adelante.

Debra había traído un vaso para ella. Lo empujó hacia Monty.

—Sírveme, por favor. Me siento como si estuviese en una conferencia discutiendo sobre armas nucleares. Una conferencia internacional.

—También yo me siento así de jodido —dijo Monty.

Llenó los 3 vasos.

—Vamos a ver, ¿dónde estábamos?

Harry encendió su puro, chupó, exhaló el humo. Llevaba un traje gris con rayas negras, rayas negras muy finas. Zapatos negros, muy brillantes. Camisa rosa con corbata negra. La camisa rosa tenía unos puntos verdes diminutos.

—Monty, ¿sabes cuál fue tu promedio el año pasado?

—Bueno, no recuerdo el promedio exacto.

—Fue exactamente .191.

—Me lesioné el tobillo en junio...

—Seivers dice que estabas demasiado lejos de la base del bateador y demasiado adelantado respecto a la caja. Te estaban matando con la curva hacia fuera y hacia abajo. Dice que no pudo convencerte de que cambiases de postura.

—¿Ah, sí? ¿Y qué promedio ha alcanzado Seivers?

—No hay que ser un gran bateador para ser entrenador de bate.

—¡Gilipolleces!

Debra acabó su copa. Se estiró hacia adelante y se sirvió otra.

—Monty logró 19 carreras completas —dijo ella—. Eso fue lo mejor que tuvo el club...

—Pero fueron 12 menos que el año anterior.

—Sigue siendo la máxima del club —dijo Debra.

—No es una actuación de 800.000 dólares. No con 67 carreras bateadas.

Se hizo otra vez el silencio. Se concentraron en sus bebidas. Harry chupaba su puro. Debra se abanicó con la mano, luego paró. Harry se bebió su vino, le hizo un gesto con la cabeza a la copa vacía:

—¿No os importa que me beba otra?

Monty le sirvió otra.

—Claro, chico blanco, lo que digas.

—¿Y eso a qué viene?

—¿A qué te refieres, Harry?

—Me refiero a que ahora me tratas como a una mierda.

—¿Mierda, hombre?

—Sí, mierda.

Hubo otro pesado silencio.

Debra se fue en busca de otra botella, volvió. Monty se puso manos a la obra con el sacacorchos.

—Lo único que sé es que tengo un contrato con cláusula de no cesión por 2 años que me garantiza 800.000 dólares anuales.

Sirvió los vasos.

Harry levantó su vaso, tomó un trago, entonces sosteniendo el vaso en el aire vio un cuadro en la pared del extremo opuesto del salón. Sosteniendo todavía su bebida, y mientras apagaba el puro, dijo:

—Oye, eso es bueno..., ese cuadro..., ¿qué es? ¿Una catarata? Me gusta...

Después se llevó el vaso a la boca y lo acabó.

—Es de Debra —dijo Monty—. Pinta.

Harry miró a Debra.

—Dios mío, es bueno, seguro que sí.

—Gracias.

—Oye, me gustaría fumar otro puro. ¿No te importa, Debra?

—¿Por eso has puesto mi cuadro por las nubes? ¿Para ablandarme por lo del puro?

—No, Debra.

—Está bien, me aguantaré.

—Gracias.

Harry quitó el celofán al puro y le arrancó un extremo de un mordisco.

—Siempre me ha gustado estar erguido frente a la caja —dijo Monty—. Me gusta estar lo más cerca posible del lanzador. Es mi estilo.

—Las cosas cambian —dijo Harry encendiendo el puro—. Ya tienes 35 años, Monty, ya no eres el de antes. Tienes que cambiar de postura. Necesitas esa fracción de segundo extra.

—¡Qué gilipollez!

—.191, Monty. Los números no mienten.

—¿No puedes dejar de repetir .191? Te estás volviendo monótono.

—Sí, y además lo llenas todo de humo apestoso —dijo Debra.

152

—Así son los negocios, Debra. No hay nada más monótono que conseguir sólo 2 golpes de cada diez cuando se está en el bate y con un sueldo de 800.000 dólares.

Monty vació su copa.

—Harry, me estás presionando demasiado, me estás presionando mucho.

—¿Qué quieres decir?

—Sólo he tenido una mala temporada. Todo el mundo tiene una temporada mala.

—Tienes 35 años, Monty. Cuando se tiene una temporada así a los 35, las dudas comienzan a asaltarte...

—Que te den por culo, Harry —dijo Monty.

—¿Por qué eres tan mal hablado, maridito? —preguntó Debra.

—Creo que es a mí a quien está hablando mal. Quizá sea mejor que me vaya.

—No, quédate —dijo Monty—. Discutamos esto a fondo. Tú has venido aquí para decirme algo. Ahora quiero oírlo.

—Es todo muy desagradable —dijo Harry—. No me gusta. Ni siquiera me gusta mi trabajo.

—¿Qué estás tratando de decirme? —preguntó Monty.

—Otra copa, por favor.

Monty le sirvió.

Harry miró a Debra.

—Tu cuadro me gusta, de veras. Eso no tiene nada que ver con el resto.

Entonces cogió su vaso, se bebió la mitad, lo puso sobre la mesa.

Miró a Monty.

—Creo que no soy nada más que un mensajero de la sede central. Y ellos me han dado un mensaje...

—Lo único que yo sé —dijo Monty— es que a mí tienen que darme 800.000 dólares anuales durante los próximos 2 años, pase lo que pase. Feldstein lo sabe. Debra lo sabe. Tú lo sabes. Y no hay más.

—Bueno, no exactamente.

—¿No exactamente? Bien, ¿entonces cuál es el problema?

—El problema es ese .191 con el que terminaste la temporada pasada.

—Vuelves a decir ese número otra vez y te cruzo la cara de una bofetada.

—Intentaré no volver a decirlo.

—A ver si es cierto.

—Odio este trabajo, de verdad que sí.

—No nos interesa lo que tú odies. Nosotros ya tenemos nuestra opinión al respecto —dijo Monty.

—¿No podemos dejar de lado toda esa mierda racial?

—Siempre ha estado ahí. ¿Por qué habría de desaparecer ahora?

—Tal vez tengas razón.

Monty volvió a llenar los vasos. Harry apagó su puro.

—Se acabaron los puros —dijo Debra.

—Vale.

Harry dio un trago a su bebida.

—¿Y bien? —preguntó Monty.

—Ay, hombre —suspiró Harry—. Bueno, pasa lo siguiente: si juegas para nosotros el próximo año no jugarás como titular. Eso está decidido. Serás bateador designado contra algunos lanzadores zurdos o quizá bateador suplente. Lo siento, pero, entre otras cosas, los entrenadores dicen que ya no puedes con esos lanzamientos desde el ángulo derecho.

—¿Es verdad eso? —preguntó Monty.

—Eso es lo que han dicho.

Monty se rió.

—Pues muy bien, entonces que ni siquiera me saquen. Siempre que sirva yo recibo más de 800.000 dólares.

—Tienes razón.

—No hay forma de que me jodan en eso.

—No.

—Así que ¿eso es todo lo que tenías que decir?

—Bueno, no...

—Muy bien —dijo Monty—, cuéntanos el resto. Oigámoslo.

—Sí, oigámoslo —dijo Debra.

—Está bien —dijo Harry—, es que hemos arreglado un posible cambio con Oakland. *Si* tú estás de acuerdo.

—¿Oakland? —preguntó Monty.

—¿Oakland? —preguntó Debra.

—¿Van a comprar la cláusula de no cesión? —preguntó Monty—. ¿Cuánto ofrecen?

—Nada.

—¿Nada? ¡Pues olvidaos, joder!

—Dios mío, espérate —dijo Harry—. Sírveme otra copa, ¿vale?

Monty llenó su vaso. Harry bajó la mirada y la clavó en él.

—Y no me salgas con ninguna otra mierda acerca de mis cuadros —dijo Debra.

Harry miró a Monty.

—Muy bien, ahora escúchame...

—Sí, te estoy escuchando.

—Vale, bien, mira, con Oakland jugarás de titular, todos los días, ¿entiendes? Quizá al jugar todos los días puedas recuperar la forma. Es tu oportunidad.

—Mmmm... —dijo Monty—. ¿Por quién me van a cambiar?

—Por dos jugadores de segunda división a designar más adelante.

—¿Qué? ¿Eso es lo que el club cree que valgo?

—No, sólo que ellos están tratando de deshacerse de tu sueldo, voy a ser sincero contigo.

Monty cogió su vaso. Miró a Harry.

—¿Y tú cuánto crees que valgo?

—¿Qué quieres decir?

—Sabes lo que quiero decir.

—Sí —dijo Debra.

—Bueno, no es asunto mío el decidir ese tipo de cosas. Como te he dicho, yo soy un simple intermediario.

—Pero supongamos que fuera asunto tuyo el tener que decidir... —dijo Monty.

—Sí, ¿y si fuera así? —preguntó Debra—. ¿Cuál sería tu opinión?

—¿Te refieres en términos de un sueldo anual?

—Sí —dijo Monty.

—Bueno, joder, no lo sé...

—Di una cifra.

Harry pensó en ello durante un momento, seriamente. Luego dijo:

—Bueno, 200.000 dólares.

—¿200.000? —preguntó Monty.

—Bueno sí, alrededor de eso.

—¡Saca tu culo blanco fuera de mi casa!

—¿Qué?

—¡*Ahora* mismo!

—Antes de que pase algo —dijo Debra.

Harry se levantó.

—Vale, me marcho...

—Y no te entretengas —dijo Monty—. ¡Cuando digo que te *vayas*, quiero decir que te vayas AHORA MISMO!

Harry fue hacia la puerta. Monty y Debra lo siguieron. Abrió la puerta, la cerró. Ahora ya estaba fuera. Ellos se habían quedado dentro de la casa. Su coche seguía en la entrada del garaje. Subió, lo puso en marcha, salió marcha atrás. Giró en redondo y luego fue hacia la izquierda, hacia la autopista.

Hubiese sido mejor hablar con Feldstein. Eso es lo que consigues cuando intentas ir directamente a los jugadores. Consigues que te den con una enorme polla negra por el culo. Eso es todo lo que consigues.

Cuando entró en la autopista la luna estaba sobre el horizonte. Se mezcló suavemente con el tráfico. Conducía con una mano mientras desenvolvía un puro con la otra. Le quitó un extremo de un mordisco, se lo metió en la boca y acercó el encendedor. ¡Qué desperdicio de noche! Y lo peor de todo: él odiaba el béisbol. Vaya un juego de perros, vaya una diversión de estúpidos. Harry pisó el acelerador y se encaminó hacia la luna.

SOLO EN LA CUMBRE

Marty tocó el timbre y esperó y la puerta se abrió y un tipo grande lo dejó pasar y siguió al tipo grande por un pasillo y al final de ese pasillo había otra habitación y el tipo grande abrió la puerta y Marty entró y allí estaba sentado Kasemeyer detrás de la mesa y Kasemeyer dijo: «Siéntate.» Marty se sentó en una silla frente a la mesa y el tipo grande cerró la puerta y se fue, aunque no muy lejos. Kasemeyer no parecía gran cosa pero lo era todo (si es que algo es todo) no sólo en aquella ciudad sino en muchas ciudades y también en algunos países.

—Marty —preguntó Kasemeyer—, ¿cuánto tiempo hace que eres matón?

—Mucho tiempo, señor, y nunca me han cogido. Siempre he encontrado algún pichón que pagara el pato.

—¿Quiénes han sido algunos de tus blancos?

—Usted lo sabe tan bien como yo, señor: los dos Kennedy, M. L. King, y muchos, muchos otros.

—¿No fuiste tú quien liquidó a Huey Long?

—No soy tan viejo, señor. Ese blanco fue de mi padre.

—Vienes de una familia de mucho cuidado, Marty.

—Gracias señor.

—¿Un puro?

—No, gracias, señor, no fumo.

Kasemeyer le tiró un puro a Marty que le pegó en el pecho, luego cayó al suelo.

—Cógelo. Desenvuélvelo. Enciéndelo. Fúmatelo. Quiero verte fumarlo.

Marty recogió el puro, le quitó el celofán, quitó uno de los extremos de un mordisco, se lo metió en la boca.

—No tengo fuego, señor.

Kasemeyer apretó un botón que había sobre su mesa. Se abrió la puerta y entró el tipo grande.

—Percy —dijo Kasemeyer al tipo grande—, enciende a este hombre.

—¿A él o al puro, señor Kasemeyer?

—De momento, sólo el puro.

Kasemeyer sacó y preparó un puro para él mientras Percy cumplía con su deber.

—Ahora, gordito, ven aquí y enciéndeme el mío.

—Sí, señor Kasemeyer.

Percy fue hacia el otro lado de la mesa y encendió el puro de Kasemeyer.

—Gracias, gordito, ahora quédate por aquí.

—Sí, señor Kasemeyer.

Kasemeyer se echó hacia atrás y dio una buena calada a su puro. Soltó el humo.

—¡Ah...!

Después miró a Marty.

—¿Te gusta tu puro?

—Sí, señor Kasemeyer.

—Ahora, quiero que cojas tu puro y pongas el extremo encendido contra la palma de tu mano izquierda.

—¿Qué?

—Ya me has oído. Ahora, hazlo.

Marty se quedó mirando a Kasemeyer.

—¡Déme un respiro, señor Kasemeyer!

—Tienes 15 segundos. O te lo incrustas en la palma de la mano o te quedas sin mano, quizá sin brazo, o quizá más...

Marty se quedó sentado inmóvil mientras Kasemeyer chupaba su puro y soltaba un penacho de exquisito humo.

—Cinco segundos...

Marty apretó el puro contra la palma de la mano izquierda, cerrando los ojos.

—*¡Dios mío, Dios mío!* —gritó.

—¡Cállate! *¡Y sigue apretándolo, hijo de puta!*

Marty apretó, mordiéndose desesperado el labio inferior...

—Ya vale, ahora puedes seguir fumando...

Marty volvió a ponerse el puro en la boca. El puro le temblaba entre los labios.

—Enciéndele el puro otra vez, Percy, creo que se le ha apagado...

Percy hizo lo que se le ordenaba, luego regresó a su sitio junto a la puerta. Kasemeyer miró a Percy.

—¿Cuándo es tu cumpleaños, gordito?

—El 9 de enero, señor.

—Recuérdame que te envíe un pollo muerto.

—Gracias, señor.

Entonces Kasemeyer volvió a mirar a Marty, que apenas chupaba su puro mientras miraba de reojo su mano izquierda.

—¡Tonto del culo, te has cargado al que *no era*!

—¿Qué?

—Queríamos que liquidaras a Henry Muñoz.

—Y lo hice.

—¡Te has equivocado de hombre!

—Señor, las fotos, el amaneramiento, la ropa..., todo coincidía. Estaba sentado a la misma mesa del restaurante a la misma hora de la noche en que acostumbra ir. ¡Incluso pidió el menú de siempre, su plato preferido y su vino preferido!

—¡Estabas demasiado *ansioso*, tonto del culo, le volaste los sesos al tipo *equivocado*! ¡No fue un buen golpe! ¡Es un milagro que no te hayas limpiado al camarero!

—¡Lo siento, señor, déme otra oportunidad!

—¿Por qué sois todos unos jodidos incompetentes, Marty?

—No lo sé, señor. ¡Estoy seguro de que nunca me había equivocado de hombre!

—¿Sabes una cosa? —dijo Kasemeyer—, entro en un restaurante y pido un filete poco hecho, ¿y sabes lo que me traen?

—No, señor.

—¡Me traen un jodido filete medio hecho!

—Debería devolverlo, señor.

—Hago algo mejor: compro el restaurante y echo al chef a la calle.

—Yo nunca hubiera matado al maître, señor.

—Solicité una placa de matrícula a Tráfico, pedí una que pusiera MUERTE, y me escribieron diciendo que no podían dármela. ¿Por qué sois todos unos jodidos incompetentes?

—No lo sé, señor.

Kasemeyer miró a Percy.

—Gordito, ¿por qué son todos unos jodidos incompetentes?

—No lo sé, señor.

—A veces me siento como si estuviera completamente solo en el mundo. Otras veces sé que es así.

Se hizo un silencio. Kasemeyer chupaba su puro y soltaba penachos de humo hacia arriba...

—Escuche, señor Kasemeyer —dijo Marty rompiendo el silencio—, déme otra oportunidad con Henry Muñoz, ¡esta vez seguro que lo cojo!

—¿Es eso cierto?

—Déjeme sólo dispararle una vez más a ese tipo, señor.

—¡Muy bien, vas a tener un disparo más! ¡Ponte de pie! Marty se puso de pie.

—Ahora, ¡*date una patada en el culo*!

—¿Qué? ¿Cómo?

—Tienes 15 segundos para resolverlo.

Marty se quedó allí de pie y pateó hacia atrás con su pierna izquierda pero no llegó a darse en el culo. Lo intentó con la derecha. Falló. Marty siguió intentándolo, primero una pierna, luego la otra. A medida que intentaba infructuosamente patearse el trasero la mirada se le iba desorbitando y poniéndosele cada vez más atemorizada. Kasemeyer empezó a reírse, se reía y se reía, hasta que terminó tirando el puro y sujetándose la barriga. Entonces, de golpe, paró.

—Vale, ya es suficiente.

Miró a Percy.

—¡Gordito, dale tú una patada en el culo! ¡Sácalo de una patada por esa puerta y por el pasillo y por la puerta principal a la calle!

—¡Por favor, señor Kasemeyer, acabaré con Muñoz! ¡Le pegaré un balazo en los huevos que le hará saltar los sesos!

Kasemeyer hizo un gesto con la cabeza a Percy.

La primera patada dio en el blanco. Percy atravesó la puerta detrás de Marty y le dio otra patada. Fue dándole patadas a lo largo del pasillo hasta la calle. Luego regresó.

Kasemeyer estaba encendiendo otro puro. Percy se quedó allí de pie.

—Señor Kasemeyer, que lástima que se equivocara de hombre.

Kasemeyer chupó, soltó el humo.

—Joder, gordito, no se equivocó de tipo.

—¿Quiere decir que liquidó a Muñoz?

—Le voló las tripas a través del agujero del culo. Un gran trabajo.

—Entonces, ¿por qué...?

—¡Nunca me preguntes el *porqué* de nada, gordito!

Percy pestañeó tristemente.

Kasemeyer tomó nota de ese hecho.

—¡Está bien, está bien, no te me pongas *sensiblero*! ¡Te lo diré! ¡Lo único que pasa es que estoy *cansado* de ese tipo! Además, sabe demasiado. Ya ha trabajado lo suficiente para mí. ¡Demonios, cómo puedo estar seguro, alguien podría hacerle hablar!

—¡Sí, sí, eso es verdad! ¿Qué va a hacer?

—Vamos a matar al matón. Está planeado para esta noche. Ésta será su última noche sobre la tierra.

—¿Se ha cansado de él, eh, jefe?

—Sí, digámoslo así.

—Jefe, ¿y alguna vez se va a cansar de mí?

—¡Percy, me asombras! ¿Alguna vez se cansan los gatos de los pájaros?

—No.

—¿Se cansan los peces del agua alguna vez?

—No, señor Kasemeyer.

—Entonces ya está. Puedes irte.

Percy caminó hacia la puerta del despacho, la abrió y caminó en silencio pasillo abajo hasta su puesto en la puerta principal. Caminó todo lo silenciosamente que permitían sus 125 kilos.

Kasemeyer esperó un momento, después apretó un botón, levantó el auricular.

—¿Bevins? Escucha, tenemos que borrar a Percy. *¿Por qué? ¡Nunca me preguntes el porqué de nada, Bevins!* Está bien, mierda, es que sabe demasiado. ¿Ya te sientes mejor? Muy bien, y hazlo antes de las próximas 12 horas.

Kasemeyer colgó.

Había que hacer un montón enorme de cosas para mantenerse en la cumbre. Nadie entendía nunca realmente lo que era eso. La durabilidad. Los movimientos. La astucia.

Volvió a coger el teléfono. Apretó el botón.

—Hola, ¿Pía? Muy bien, quiero que traigas un par de botellas de vino blanco en el cubo de hielo. Tengo ganas de que me la chupes. Y quiero que te pongas uno de esos camisones transparentes que se te han rasgado en la secadora. Y quiero que lleves el pelo todo revuelto. ¡Y ven deprisa!

Kasemeyer colgó, se echó hacia atrás.

Entonces, mientras esperaba, vio una mosca gorda volando en círculos por toda la habitación. Metió la mano en el cajón de su mesa, sacó un 45, le quitó el seguro, levantó el revólver y apuntó a aquella maldita cosa.

CÓMPRAME CACAHUETES Y CARAMELOS

Era una conferencia de prensa en la oficina de los Ground-hogs. Las cámaras de fotos disparaban sus flashes y el propietario le pasaba el brazo por los hombros al nuevo mánager. Aunque no era nuevo. Clint Stockmeyer ya había contratado antes a Larry Nelson dos veces y lo había despedido dos veces. Stockmeyer era un hombre grande, grande de tórax, de barriga y de dinero. Su peso casi obligaba a Larry a doblarse hacia adelante, pero a pesar de todo Larry sonrió, débilmente en comparación con la enorme sonrisa de oreja a oreja de Stockmeyer.

—¿Cuánto va a durar? —preguntó uno de los periodistas a Stockmeyer.

—Bueno, hemos firmado un contrato de dos años con Larry para demostrar nuestra confianza en él. Consideramos a Larry el mejor mánager de la liga.

—Si es tan bueno, ¿por qué lo ha echado dos veces?

Hubo ciertas risas. Hasta Larry Nelson se rió débilmente mientras se liberaba del brazo de Stockmeyer.

—Bueno, fue más que nada una cosa emocional, las dos veces —dijo Stockmeyer—. Ambos somos cabezotas, ya sabéis, y hubo cosas en las que simplemente no nos pudimos poner de acuerdo...

—Se metía demasiado en todo —dijo Nelson.

—Larry tiene razón. —Stockmeyer sonrió, pasando el brazo otra vez por encima de Larry—. Esta temporada Larry va a tener un control *total*. Sean los que sean los 9 tipos que saque al cam-

163

po, así se hará. Todos los cambios, todas las decisiones personales, todo va a ser cosa de Larry.

—Me parece, señor Stockmeyer, que lo está diciendo *usted* todo. ¿Qué es lo que tiene que decir Larry?

Larry volvió a escabullirse de debajo del brazo de Stockmeyer y se adelantó un poquito.

—Bueno, estoy contento de estar de vuelta en los Groundhogs. Ésta es mi ciudad preferida. Voy a cambiar a Pexa de *short stop* a tercera base y Cerritos cubrirá *short stop*. Y voy a cambiar a Bowers a cuarto bateador, y a ese novato, Jack Lakewood, le daremos una verdadera oportunidad en su trabajo de campo centro. Tengo otros cambios en mente...

—¿Cree que podrá llevarse bien con el señor Stockmeyer?

—¿Y por qué no? Creo que ambos hemos aprendido del pasado.

—Exacto —dijo Stockmeyer. Avanzó y pasó el brazo por encima de Larry una vez más. Las cámaras dispararon sus flashes y acabó la entrevista. Cuando se marchó el último periodista, Stockmeyer se volvió hacia Nelson.

—Jesús, Larry, no parecías muy contento que digamos.

—¿Qué te hubiera gustado que hiciese, que bailase un poco de claqué?

—No, eso no. Pero podías haberte mostrado un poco más *entusiasta* con las cosas. Después de todo, los Jays te dejaron marchar. Te habías quedado con el culo al aire. Yo te he dado la vida otra vez.

Stockmeyer se metió un puro en la boca y lo encendió con cierta furia.

—¿Y qué es esa mierda de cambiar a Pexa de *short* a tercera?

—Pexa no sabe ir hacia la derecha. En la tercera base eso no es problema.

—¿Qué quieres decir con eso de que no sabe ir hacia la derecha?

—Justamente eso: no sabe ir hacia la derecha.

—Venga, vámonos a beber algo al Blue Mule...

164

Cogieron un taxi. El Blue Mule era un sitio caro y a esa hora de la tarde no había muchos clientes. Se sentaron en un reservado del fondo. La camarera se acercó contoneándose.

—Hola, Larry —dijo sonriendo—, ¿otra vez de vuelta?

Stockmeyer pidió un whisky sour, Larry se decidió por un vodka con tónica y lima.

—¿Qué ha querido decir con «otra vez de vuelta»? —preguntó Stockmeyer.

—¿Quién puede saber lo que quiere decir una mujer? —contestó Larry.

—Esta temporada no puedes andar peleándote por los bares —dijo Stockmeyer—. Es malo para el juego y es malo para la imagen.

—¿Y qué es lo que debo hacer si un hijo de puta me busca las cosquillas?

—Búscate una salida. Siempre te estás dando de tortas con alguien. No es elegante.

—No me gusta tragar mierda.

—A nadie le gusta. Usa tu jodida inteligencia. Tápales la boca, evítales, ríete de ellos, cualquier cosa.

—Algunos tipos siguen presionando, sólo entienden una cosa.

—Tú eres el problema. Tú los provocas, Larry. Yo te he visto.

—Eso no es cierto.

—Sí que lo es.

—Oye, déjame en paz un rato, ¿no te parece, Stockmeyer?

Llegaron las bebidas. Observaron el contoneo de la chica al alejarse.

—Quizá la ponga a ella de *short stop* —dijo Larry—. Ha manejado muchísimas pelotas.

—¿Quizá las tuyas también?

—Eso es asunto mío.

Larry vació su vaso, llamó la atención de la camarera e hizo señas para que trajera otra ronda.

—Otra cosa —dijo Stockmeyer—, y a cualquier tipo que descubras con coca quiero que lo retires del juego, quiero que lo cambies, quiero verlo fuera de allí.

—¿Y si está bateando .340?

—Me importa un carajo si está dando .640. Lo quiero fuera de allí. No quiero cocainómanos en los Groundhogs. Es malo para el juego.

—¿Y los alcohólicos?

—No son tan malos.

—¿Ah, no? ¿Alguna vez has intentado darle a una pelota con efecto cuando tienes resaca?

Llegó la bebida de Larry.

—Gracias, encanto...

La chica volvió a contonearse cuando se alejaba y brindó un balanceo extra justo antes de meterse detrás de la barra.

Stockmeyer dio un trago a su bebida, volvió a ponerla sobre la mesa.

—¿Por qué vas a poner a Bowers de cuarto bateador? Sólo tiene 17 *homers*. Belanski tiene 32.

—El juego no son sólo carreras completas. Bowers tiene las carreras bateadas, y batea con hombres en base. Escucha, Stockmeyer, creí que ibas a dejarme dirigir este asunto en el campo.

—Sí, sí, lo haré, sólo quiero conocer tu forma de pensar. Yo soy el que extiende los malditos cheques, ya sabes.

—Sí, ya *sé* que tú eres el que extiende los malditos cheques. ¿Por qué no te conformas con eso?

Stockmeyer acabó su copa e hizo señas a la camarera para que trajese otra. Larry Nelson indicó que fueran dos. El barman ya lo sabía.

—¿Sabes, Larry? —dijo Stockmeyer—, cuando bebes te pones enseguida desagradable.

—¿Ah, sí? ¿Y qué me dices de la noche en que le diste un puñetazo al taxista?

—Él me incitó.

—¿Cómo?

—Me dijo que prefería comer mierda antes que ver a los Groundhogs jugar al béisbol.

—Eso tiene gracia.

—¿Ah, sí? *Tú* eras el mánager aquel año.

—¡Eh, ahí viene Tanya!

—¿Quién es ésa?

—La camarera.

Allí estaba otra vez Tanya con las bebidas. Las puso sobre la mesa. Larry Nelson estiró el brazo y la agarró, la sentó sobre sus rodillas.

—Nena, huyamos juntos.

—¿Tienes algo de dinero?

—Tengo un abultado contrato de dos años.

—Tal vez esté mejor acomodada con el tipo que te hizo el contrato.

Larry Nelson la empujó para que se quitara de sus rodillas.

—¡Inconstante, creí que lo nuestro era amor!

Tanya se puso de pie, cogió la bandeja.

—¡No te creas, Larry, eso es algo en lo que tú no eres demasiado bueno!

Se alejó contoneándose.

—Oye, Nelson, ¿la conoces?

—Nos hemos conocido.

Stockmeyer cogió su bebida.

—Mira, estoy de acuerdo en cambiar a Pexa a la tercera pero no veo a Bowers de cuarto bateador.

—Dijiste que yo me encargaría de ese puñetero asunto.

—Vas a perjudicar la recaudación.

—No voy a perjudicar la recaudación.

—¿Te vas a follar a la camarera?

—Quizá. ¿Hay alguna ley que lo prohíba?

—No. ¿Puedes conseguírmela?

—¿Y el bate de Bowers va a cuarto?

—Vale.

—Veré lo que puedo hacer.

Se quedaron allí sentados durante un momento. Entonces Stockmeyer preguntó:

—¿A quiénes vas a poner de titulares?

—A Ellison, Carpenter, Mullhall y Harding.

—Eso es una mierda.

—No, no lo es.

—¿A quién vas a poner de lanzador en reserva?

—A Pelling.

—¿Pelling? Eso está bien. ¿Y de rematador?

—A Spinelli.

—¿*Spinelli?* ¡Dios santo!

—Dijiste que me dejarías dirigir ese puñetero asunto.

Pidieron otra ronda de bebidas. La tarde se iba desvaneciendo hacia la noche y el Blue Mule empezaba a llenarse. Se oía con frecuencia la risa de Tanya, una risa estridente. Los hombres entraban y se sentaban pesadamente en los taburetes de la barra, aturdidos por todo lo que el día les había hecho. Buscaban algo más pero no había nada más. Bueno, estaba Tanya. Y algunos tenían esposa en casa. Por eso venían al bar. Y algunas de las esposas estaban en otros bares.

Stockmeyer y Nelson estaban sentados mirando a los hombres en la barra.

—¡Qué pandilla tan triste! —dijo Larry Nelson.

—Sí —dijo Stockmeyer.

Algunos de los tipos habían perdido el interés en Tanya y miraban a su alrededor.

—Creo que me han reconocido —dijo Larry.

—Bueno, eres un personaje público.

—¡Mierda!

—¿Qué pasa?

—¿Has visto eso, Stockmeyer? ¡Aquel tipo me ha hecho un corte de mangas!

—Yo no lo he visto.

—¡Yo no voy a aguantar eso! ¡Voy a darle una patada en el culo!

Larry empezó a ponerse de pie. Stockmeyer se precipitó por encima de la mesa y lo sentó de golpe:

—¡SIÉNTATE!

—¿Qué carajo estás haciendo?

—¡Basta de peleas en los bares!

—¿Ah, sí? ¡Bueno, pues tendrás que retenerme a la fuerza!

—¡Es por tu propio bien!

—¡Lo has visto! ¡Me ha hecho un corte de mangas!

—Ya pasó. Mira, está hablando con Tanya.

Era verdad. El hombre estaba hablando con Tanya. Y Tanya estaba inclinada hacia él, sonriendo, como si el hombre le estuviese diciendo cosas maravillosas y llenas de imaginación.

—Esa puta tiene el cerebro tan pequeño que si le hicieran una radiografía no saldría nada —dijo Larry.

—¡Pero vaya culo! —dijo Stockmeyer.

—Es cierto —dijo Larry.

—Creo que necesitamos otro encargado de los tres campos que batee desde la izquierda —dijo Stockmeyer.

—Es verdad. Consígueme uno. Alguien que tenga menos de 35, ¿eh?

—Me encargaré de eso...

Larry vació su copa, la puso sobre la mesa.

—¡Mira! ¡Ese hijo de puta me está haciendo otro corte de mangas!

—Ignóralo. Eres un personaje público.

—Ignorarlo, ¡y un cojón! ¡Le voy a romper la cara!

Larry empezó a levantarse. Stockmeyer lo sentó de golpe en su silla.

Larry lo miró.

—No vuelvas a hacer eso, gordinflón.

—Es por tu propio bien.

—Yo me ocuparé de mi propio bien. ¡Mira! ¡Lo está haciendo otra vez!

Larry se levantó de un salto. Stockmeyer se precipitó intentando devolverlo a su asiento pero Larry le soltó un derechazo. El golpe se estrelló contra la barbilla de Stockmeyer, que se desplomó sobre el asiento, después giró hacia la izquierda y cayó al suelo. Aterrizó de cara. Tanya dio un alarido. Stockmeyer se puso de rodillas, se arregló la corbata, levantó los ojos hacia Larry Nelson.

—¡YA ESTÁ BIEN, hijo de puta! ¡ESTÁS DESPEDIDO!

—¡Y a mí qué me importa, gordinflón! ¡Tengo un contrato de dos años!

—¡Se te pagará, mamón! ¡Pero tú no vas a dirigir *mi* club de béisbol!

Stockmeyer se puso en pie.

—¡Y además te demandaré por agresión! ¡Ya te llamará mi abogado!

—¡Si tuvieras algo de hombría, Stockmeyer, me harías frente!

—¡Qué chorrada!

Stockmeyer se encaminó hacia la salida del bar revistiéndose de toda la dignidad posible. Luego desapareció. Larry miró a su alrededor en busca del tipo que le había hecho el corte de mangas. También se había ido.

El teléfono sonó alrededor de las diez y media de la mañana. Tanya se estiró fuera de la cama y lo cogió.

—¿Sí?

Entonces sacudió a Larry Nelson. Giró entre las sábanas y se incorporó.

—¿Qué pasa?

Ella retiró la sábana y dejó caer el teléfono en sus genitales. Larry bajó la mano y lo cogió.

—¿Dígame? Ah, Stockmeyer. ¿Cómo has dado conmigo? ¿Qué? Sí, entiendo. Bueno, muy bien entonces, pero recuerda: yo soy el que dirijo ese puñetero asunto, ¿está bien? Vale, entonces. De acuerdo. Adiós.

Larry pasó por encima de Tanya y colgó el teléfono.

—¿Qué ha pasado? —preguntó ella.

—Quiere que vuelva.

—¿Vas a ir?

—Sí, necesito el trabajo.

Larry salió de la cama y fue al cuarto de baño, meó. Después se lavó las manos y la cara, se mojó el pelo y se lo peinó hacia atrás con los dedos. Salió del cuarto de baño. Estaba desnudo. Se quedó allí de pie, en medio de la habitación.

—Chico —dijo Tanya desde la cama—, estuviste realmente fatal anoche.

—No te preocupes por eso —dijo—, ¿nos queda algo de coca?

—No, nada. Tienes la nariz de un elefante.

—Mierda —dijo Larry.

Bajó la mano y se rascó las pelotas.

EL GANADOR

Era el sexto round y Tony Musso estaba golpeando a Bobby Barker con dureza. Bobby tenía unos enormes verdugones rojos a ambos lados del cuerpo. Cada vez que recibía otro golpe se notaba que lo que él quería era irse del cuadrilátero, pero no sabía realmente cómo. *Podía* hacerse: yo estuve una vez en Philly cuando Red Dog Jensen decidió que ya había recibido suficiente y sencillamente pasó entre las cuerdas y se largó.

Me dolía a *mí* cada vez que Bobby recibía otro golpe. Musso era un toro, un sádico. Su cerebro era como una pelota de golf, pero sabía PEGAR. Musso no sería nunca un campeón pero haría que muchos tipos abandonaran la profesión. Bobby estaba demasiado preocupado por su cara. Le gustaba bailar y lanzar golpes secos y lucirse ante las chicas que estaban en las primeras filas del cuadrilátero. De vez en cuando metía una ráfaga de golpes, sus puñetazos eran rápidos y feroces pero no tenían fuerza. Entre pelea y pelea intentábamos mantenerlo alejado de las chicas, las fiestas y la coca, pero se escabullía todo lo que podía. Una lástima. Era un buen chico en muchos sentidos.

Bobby recibió un tremendo gancho de izquierda en las costillas, enseñó los dientes, entonces sonó la campana.

Pusimos el taburete, se sentó y le sacamos el protector de la boca, le pasamos la esponja, le pusimos la botella de agua en la boca, se enjuagó y escupió, le colocamos la bolsa de hielo en la nuca. Entonces, antes de que yo pudiera hablar, dijo:

—Que te den por culo..., ya sé: coloca y muévete..., coloca y muévete..., avanza, arréale una combinación, retrocede. Que te den por culo.

—No hables —dije—. Escucha. No tienes por qué aguantar más. La próxima vez que te arree uno en las costillas, tírate, deja que te cuenten.

—¿Pero qué clase de maldito mánager eres tú? —preguntó Bobby.

—Lo único que estoy tratando de hacer es salvarte el pellejo. No hay ninguna posibilidad de que puedas vencer a Musso. Escucha, iremos a Ciudad de México y empezaremos todo de nuevo.

—De eso nada, yo no voy a pelear con ningún mexicano. Ésos pelean para matar.

Sonó el timbre de aviso. Buzzard, nuestro segundo, metió el protector en la boca de Bobby. Sacamos el cubo y el taburete de allí, sonó la campana y Musso arremetió contra Bobby. Bobby le colocó un izquierdazo y se desplazó a un lado. Bobby llevaba ganadas 7 peleas seguidas pero nunca se había enfrentado a nadie como Musso. Musso tenía una marca de 22-7-1 y se había enfrentado al mejor. Las peleas ganadas por Bobby habían sido todas a 6 asaltos, ésta era su primera pelea a 10 asaltos y la transmitían por la televisión nacional. Pretty Boy Bobby contra Musso, el Toro Italiano. Yo había hecho subir a Bobby demasiado rápido. Aunque esta vez las ganancias iban a ser abultadas, muy probablemente sería la última vez que él se embolsaría una buena. Pero ahora tenía en el gimnasio a un chico, Rickey Munson, al que le encantaba boxear, no iba detrás de las mujeres, lo único que le gustaba era ver la tele. Tenía puestas mis esperanzas en él.

Hacía calor allí dentro y bebí un trago o dos de la botella de agua. Había suficiente para Bobby y para mí.

—Bobby no puede con Musso —dijo Buzzard.

—Bueno, nosotros no podemos hacer nada —dije.

Justo en ese momento Musso asestó un potente gancho de izquierda a las costillas de Bobby. El golpe se oyó en todo el recinto. Bobby enseñó los dientes, se dobló un poco hacia adelante, lanzó un débil golpe con la izquierda, retrocedió. Musso fue tras él. El boxeo no siempre era una profesión agradable, pero no hay muchas profesiones agradables. Por ejemplo un abogado, el sueldo es bueno pero vaya un montón de fango. ¿Y qué me decís de un dentista? La boca de una persona es mucho más fea que su agujero del culo. U otro, un mecánico de coches: manos destrozadas, grasa que no se quita en la vida y estar siempre aumentando los precios un poquito por aquí y otro por allá para poder apenas arreglártelas. Además, la gente se pone absolutamente gilipollas cuando se trata de su coche. ¿Un guardián de zoológico? Tiene que estar todo el día limpiando jaulas con una manga y contestando preguntas del tipo de «¿Las jirafas duermen?». No hay muchas profesiones agradables, pero el boxeo podía llegar a ser horrible. Una pelea podía ser tremendamente desigual mucho antes de que decidieran pararla. Siempre que se siga pegando de vez en cuando, incluso si no se tiene ninguna posibilidad, normalmente dejan que continúe. Y los *aficionados*: lo que ellos quieren es ver *muerto* a uno o a otro. Eso es lo que realmente quieren.

Oí gritos, levanté la mirada: Bobby estaba en el suelo. El árbitro empujó a Musso hacia una esquina neutral y empezó a contar.

—¡Levántate, Bobby! —gritó una de las muñecas de la primera fila. ¿Qué sabría ella? Lo más duro que había hecho ésa en su vida había sido obtener un buen bronceado. Parecía una buscona. Bueno, *ésa* sí que era una profesión. El único problema es que no duraba mucho. Había que alcanzar un éxito grande y rápido.

Bobby, el muy gilipollas, se levantó cuando iban por el 8. El árbitro le sacudió las manos, le miró los ojos. Bobby dijo que «sí» al árbitro con la cabeza y el árbitro hizo un gesto con la mano para que continuara la pelea. Musso se abalanzó sobre Bobby, que le metió una derecha baja antirreglamentaria justo cuando sonó la campana.

Teníamos el taburete preparado. Buzzard le quitó el protector de la boca. Yo le eché agua por dentro de los calzones y luego le puse la botella en la boca.

—Idiota —le dije—, ¿por qué te has levantado?

—Le voy a ganar, Harry —dijo.

—Esto no es una película de «Rocky», Bobby. Sencillamente las cosas no son de esa manera. Eso son chorradas de la fantasía. ¡Ahora lo único que tú quieres es salir *vivo* de aquí! Es probable que ya tengas un par de costillas hechas polvo. ¡La próxima vez que caigas, *quédate* en el suelo! A los aficionados les importas un carajo. ¡Eres *tú* el que *tiene* que cuidarse a sí mismo!

—¡Jesús, Harry, se supone que eres mi mánager, se supone que tú tienes que decirme cómo tengo que hacer para ganarle a este tipo! Harry, eres una mierda de mánager.

—Estoy tratando de salvarte la cabeza, Bobby, y deberías apreciarlo. No te estoy tratando como a un pedazo de carne.

Sonó el timbre y sacamos las cosas de allí. Entonces sonó la campana.

—Harry —dijo Buzzard—, has hecho bien.

Octavo round. Musso salió corriendo de su esquina. Oye, con ese tipo sí que me gustaría tener un contrato. Resistente. Estúpido. Hasta vivía con su madre y donaba una parte de su bolsa a un orfelinato católico. ¿Mujeres? Dios mío, creía que las mujeres eran para casarse. No bebía. No fumaba. Las drogas eran sólo algo sobre lo que había leído. Lo único que hacía era machacar boxeadores. Era una visión fantástica, fantástica...

Pero noté que había bajado el ritmo. Parecía dudar antes de avanzar. Sin embargo todavía tenía buen aspecto, comparado con Bobby, que estaba lleno de verdugones rojos en las costillas y había perdido los 7 rounds. Bobby le tiró un beso a una de las muñecas de la primera fila. Ella chilló como una soprano que se hubiera emborrachado con una botella de coñac.

Bobby golpeó y retrocedió. Luego avanzó, lanzó 3 con la izquierda y 2 con la derecha, a la cabeza y al cuerpo. Después se alejó. Baileteó un poco. Musso atacó. Bobby contraatacó usando primero la derecha, algo que no había hecho en toda la pelea.

Cogió a Musso por sorpresa. Se detuvo, parpadeó. Le había dado de lleno en la nariz. Le salía sangre de las fosas nasales. Musso se frotó la nariz con el guante y Bobby lo alcanzó con un gancho al tiempo que avanzaba. Pocos boxeadores utilizan ese gancho desde abajo, aunque está permitido. Éste venía directo del suelo y con una fuerza tremenda. Musso retrocedió unos pasos. Bobby avanzó con un uno-dos a la mandíbula. Lo único que hacía Musso era estar de pie, tratando de mantener los puños levantados. Estaba allí de pie mirando a Bobby.

Entonces Bobby sacó fuerzas de la nada, la fuerza que le había faltado toda la noche. Se lanzó con derechas e izquierdas, y con cada golpe parecía ganar potencia. Musso cayó hacia atrás contra las cuerdas. Bobby se detuvo, como para afinar la puntería. Enderezó a Musso con un golpe de izquierda, lo mantuvo ahí. Después le metió un derechazo. Musso se quedó un momento en pie, las luces del cuadrilátero le brillaban en los ojos. Luego cayó y se quedó en el suelo. La jovencita gritó. Todo el mundo gritó. Bueno, yo no. Yo subí al ring de un salto y agarré a Bobby y lo abracé y lo levanté en brazos. Después se lo pasé a Buzzard y él lo levantó en brazos.

Íbamos camino de una pelea por el título. Musso seguía fuera. Lo habían sacado rodando sobre sí mismo. Temblaba mientras yacía sobre la lona en aquel ambiente lleno de humo. Era una gran noche, estupenda, estupenda.

Finalmente levantaron a Musso, lo llevaron a su esquina, lo sentaron. Seguía sin saber dónde estaba.

Bobby corría alrededor del cuadrilátero, como loco. Entonces paró, se inclinó sobre las cuerdas. Empezó a gritarle a la chica de la primera fila. Fui hasta él y lo agarré.

—Déjala en paz. Todas ésas tienen herpes.

—Pues por ésa vale la pena morir.

—Por ninguna vale la pena.

Lo alejé de allí, lo sacudí un poco y le dije:

—Ahora ve hasta la esquina de Musso, dale unas palmaditas con el guante, demuestra un poco de deportividad.

—¡Y un cojón! ¡Odio a ese hijo de puta! ¡Ha tratado de matarme!

—Lo hacía sólo por su madre. Ahora vete hasta allí y dale una palmadita para demostrar que un ganador también puede ser amable.

Bobby fue hasta la esquina de Musso y le dio un golpecito suave entre los ojos. La sangre, que había parado de salir de la nariz de Musso, comenzó a gotear otra vez. Bobby volvió saltando hacia el centro del ring.

Apareció el locutor y el micrófono descendió sobre el cuadrilátero.

—¡DAMAS Y CABALLEROS, A UN MINUTO Y NUEVE SEGUNDOS DEL OCTAVO ASALTO, EL GANADOR POR KNOCK-OUT: PRETTY BOY BOBBY BARKER!

El clamor fue increíble. Bobby dio su característica voltereta de espalda y se plantó sobre los pies. Era realmente alto. Yo estaba todavía preocupado por sus costillas.

—¡DAMAS Y CABALLEROS, NOS QUEDA UN COMBATE MÁS POR PRESENCIAR!

Buzzard y yo sacamos a Bobby del cuadrilátero y entonces nos cogió el comentarista de la tele. Era Henry Chamberlain, y en realidad no sabía ni una mierda de boxeo. Además los carrillos le colgaban a ambos lados de la cara. Cómo había podido conseguir aquel trabajo era algo que yo no podía entender, pero había incompetentes en la cumbre de todas las profesiones.

Le metió el micrófono en la boca a mi chico.

—Bobby —dijo—, ¡vaya una recuperación! ¡Yo creí que ya estabas acabado! ¿Cómo lo has conseguido?

—Bueno —dijo Bobby—, yo...

Cogí el micrófono.

—Lo teníamos todo planeado. Decidimos dejar que Musso se cansara de golpear. Bobby paró la mayoría de esos golpes con los guantes y los codos. También nos imaginamos que la edad iba a poder con Musso, un *gran* boxeador, pero ha intervenido en demasiados combates duros. La juventud ha tenido su recompensa. La juventud y una buena estrategia de combate han tenido su recompensa.

Chamberlain recuperó el micrófono.

—¿Y ahora cuál será el próximo, Bobby? —preguntó.

—Bueno, a mí me gustaría Hammering Hanson.

—No —dije—, Hanson tiene 13-3-0, es un boxeador de segunda fila. El que nos gustaría es Slick Pettis.

—¡Pero si está entre los diez primeros!

—Ya ha oído lo que he dicho, Chamberlain.

—Oye, Bobby —volvió a meter el micrófono en la boca de mi chico—, ¿quieres decir algo más?

—Claro. Dedico esta pelea a todas las chicas bonitas que vienen a ver mis peleas en directo. También quiero saludar a todos mis amiguetes de Riverside, California...

Chamberlain retiró el micrófono.

—Gracias, Bobby...

Sacamos a Bobby de allí y lo condujimos pasillo abajo hacia los vestuarios.

Bobby volvía la cabeza por encima del hombro una y otra vez, como si quisiera más. Ya iba a tener más. De eso no cabía ninguna duda. Buzzard estaba a un lado del chico y yo al otro.

Me sentía bien.

Todos nos sentíamos bien. Estados Unidos era un buen sitio donde estar cuando se era ganador.

Íbamos hacia los vestuarios y mientras lo hacíamos empecé a sentirme rico, y les puedo asegurar que cuando empiezas a sentirte rico caminas de otra forma, hablas de otra forma, hasta los dedos de la mano comienzan a sentirse de otra forma.

Así era como me sentía y le dije al chico:

—Bobby, vamos a llegar hasta el final.

Y Bobby me sonrió.

Buzzard abrió la puerta empujándola en barrido con el brazo izquierdo y entramos uno tras otro.

NO HAY TRATO

Manny Hyman había estado en el negocio del espectáculo desde los dieciséis años. Cuatro décadas en el asunto y todavía no tenía ni un cuenco dentro del cual vomitar. Estaba trabajando en uno de los salones del Hotel Sunset. El salón pequeño. Él, Manny, era la «Comedia». Las Vegas ya no era la de antes. El dinero se había ido a Atlantic City, donde las cosas eran más frescas, más nuevas. Además estaba también la maldita recesión.

—Una recesión —les decía— es cuando tu mujer se larga con alguien. Una depresión es cuando alguien te la trae de vuelta. Alguien trajo a la mía de vuelta. Bueno, creo que esto tiene su gracia, así que cuando la descubra se lo haré saber...

Manny estaba sentado en el vestuario dándole a una botella de vodka. Estaba sentado frente al espejo..., grandes entradas en el pelo..., frente brillante, una nariz ganchuda y torcida hacia la izquierda..., ojos oscuros y tristes...

Mierda, pensó, supongo que es duro para todo el mundo. Uno va cada vez más despacio pero tiene que seguir funcionando. O lo haces o terminas poniendo la cabeza sobre la vía del tren.

Se oyó un golpecito en la puerta.

—Adelante —dijo—, aquí no hay más que silencio y un poco de vegetación judía...

Era Joe. Joe Silver. Joe contrataba las animaciones para el hotel. Joe acercó una silla, se sentó al revés, apoyando los brazos y la barbilla en el respaldo de la silla, y miró a Manny. Joe había contratado cuantas actuaciones le había presentado Manny. Ambos se parecían mucho, sólo que Joe no parecía pobre.

Joe suspiró, se estiró y se frotó la nuca.

—Sales ahí, Manny, y tus chistes parecen realmente amargos. Tal vez lleves demasiado en el juego y eso se está volviendo en tu contra. Sabes, recuerdo cuando eras divertido. Solías hacerme reír. Hasta hacías que la multitud se riera. No parece que haya pasado tanto tiempo...

—¿Ah, sí? —sonrió Manny abiertamente—. Te refieres a anoche, ¿no, Joe?

—Me refiero al año pasado. Me refiero a no me acuerdo cuándo.

—Ah, venga, Joe, no soy *tan* malo —dijo Manny mirándose todavía al espejo.

—No hay nadie ahí *fuera*, Manny. No los atraes. Tu actuación ha caído a un nivel tan bajo que podría deslizarse por debajo de una puerta.

—¿Pero podría deslizarse por debajo de una de esas puertas que se *deslizan*?

—La puerta que tenemos aquí es *giratoria*, Manny. De un giro estás dentro y, si no sirves, de otro giro te saca directamente al centro de la avenida...

Manny se dio la vuelta y miró a Joe.

—¿De qué me estás hablando, Joe? ¡Yo soy uno de los Grandes Cómicos! Tengo recortes de prensa que lo demuestran. «¡Uno de los grandes cómicos de nuestra era!» ¡*Tú* lo sabes!

—Eso fue en la era glaciar, Manny. *¡Y yo hablo de ahora!* Tenemos que tener más gente en las mesas. Ahora podría salir ahí y tirar tres kilos de arroz crudo y no darle a nadie.

—Quizá a la gente no le guste el arroz, Joe. Quizá prefieran el arroz cocido...

Joe sacudió la cabeza.

—Manny, sales ahí como un viejo amargado. ¡La gente ya *sabe* que el mundo es una mierda! ¡Y lo que quieren es *olvidarlo*!

Manny bebió un trago de vodka.

—Tienes razón, Joe. No sé qué mosca me ha picado. ¿Sabes una cosa? Otra vez hay ollas populares en este país. Exactamente igual que en los años treinta. Salgo ahí fuera y veo a esos cerdos comiendo y bebiendo, y además son *estúpidos*, son absolutamente estúpidos. ¿Qué derecho tienen a todo ese dinero? No entiendo nada.

Joe extendió el brazo y tocó el de Manny.

—Oye, quítate eso de la cabeza. A ti no te pagan para que mejores las cosas. A ti te pagan para que les duela la barriga de tanto reírse.

—Sí, ya lo sé...

—Sabes que como persona te aprecio, Manny. Sé que malgastas tu paga en las mesas de juego y en chicas. No me importa. Algún desahogo tienes que tener. Y no me importa lo del vodka... siempre que produzcas. Pero A. J. me ha dicho que tenemos que tener más mesas llenas o si no se acabó mi trabajo de promotor aquí. ¡No les haces reír, Manny! ¡Y ahora es *mi* culo el que está en juego! Y yo tampoco me río. Estoy pensando en traer a ese chico, Benny Blue. No sólo cuenta chistes sino que también juega malas pasadas con pompas de jabón.

—Ese chico es impresentable, un idiota impresentable. ¿Te has enterado de lo que hizo el otro día? Se pasó con la cocaína y se meó encima de una de las camareras. ¡Y después le dio 5 pavos y le dijo que volviese la noche siguiente para repetir!

—Sí, me he enterado. Pero el chico es bueno en el escenario. ¡Y eso es lo que me tiene que importar!

—Yo no consumo coca, Joe.

—¡Qué me importa lo que consumas! ¡Me importa lo que hagas! Es *tu* nombre el que está ahí fuera en la cartelera y no hay ni un alma sentada en las mesas...

—¡*Joder*! ¿Es que no lo sabes? ¡Estamos en *recesión*, Joe!

—¡Y *por favor*, Manny, acaba ya con los chistes sobre la recesión! ¡Todas las noches haces un montón de chistes sobre la recesión! ¡Haces que la gente se sienta mal! ¡*Quieren reírse*! ¡Aquí *falla* algo, Manny! ¿No ves que no viene nadie?

Manny dio otro trago al vodka, se volvió y se puso frente a Joe.

—Bien..., déjame que te diga algo. ¡Es por esas malditas coristas! ¡Siempre las *mismas* chicas con la *misma* ropa durante 3 o 4 temporadas! ¡Ya les están empezando a colgar las tetas! ¡Los culos les han crecido más que la deuda nacional! ¡Y... cuando no trabajan están todo el tiempo ligando! ¡«Las Cisnecillas», joder! ¡Deberías cambiarles el nombre por el de «Las Hermanitas Herpes»! ¡A nadie le interesa ver a un grupo de busconas enfermas levantando las piernas al compás!

—No podemos comprar vestuario nuevo, Manny. ¿Sabes cuánto cuesta esa ropa?

—Bueno, al menos pon algo nuevo dentro de esa ropa vieja.

—Manny, no es ése el problema. *Tú eres* el problema. ¡O *mejoras* o te *largas*! Tendré que contratar a Benny Blue y sus Perversas Burbujas.

—¿Mejorar? ¿Mejorar?

—Es sólo una expresión. Lo que quiero decir es que quiero que mejores el nivel de tu actuación, que está por los suelos. Y si se trata de tu culo o el mío, tendrá que ser el tuyo...

—Gracias, Joe.

—Supongo que ya sabes que Ginny tiene cáncer de pecho. Las facturas del hospital me llegan hasta el culo.

—Lo he oído... —Manny ofreció la botella a Joe—. Toma un poco de vodka.

—Gracias, Manny...

Joe echó un trago.

—Oye, Manny, ¿cómo te fue anoche en las mesas de juego?

—No te lo vas a creer, pero gané mil quinientos dólares.

—¡Fantástico! Pero hazme caso, Manny...

—¿Qué?

—Guárdalos.

Joe se puso en pie.

—Bueno, ¡que no sólo te salga todo redondo sino que además gire y gire sin parar!

—¿Hasta marearse?

—Sí, también eso.

Manny se sentó frente al espejo, bastante borracho. Podía oír al cantante fuera cantando una empalagosa balada de amor. Aquellos pelmazos nunca bromeaban. A las damas les encantaba y los hombres lo soportaban, dando gracias de que ellos no fuesen ese tipo. Manny sabía muy bien quién era ese tipo, el cantante. Era uno de esos que no habían logrado acabar la universidad en Pasadena y llevaban patillas largas hasta el culo. El cabrito bebía maltas de vainilla y jugaba a las maquinitas tragaperras con las abuelitas. Tenía tanta clase como el agujero del culo de un gato.

Volvieron a llamar a la puerta.

—Tu turno, Manny...

Dio un buen trago, se miró al espejo y se sacó la lengua a sí mismo. La lengua era blanca grisácea. Volvió a meterla rápidamente en la boca.

Fuera el espacio era brillante y caluroso. Manny esperó a que se le acostumbraran los ojos, vio quizá unas 5 o 6 parejas en las mesas. El local tenía 26 mesas. Todas las parejas parecían malhumoradas. No se hablaban entre sí. No se movían a no ser para levantar sus bebidas, ponerlas sobre la mesa, pedir más.

—Bueno, hola a todos..., amigos míos —improvisó Manny—. Ya sabéis que no hay mucha diferencia entre Johnny Carson y yo. Carson usa un traje nuevo todas las noches. Nunca puede vérsele dos veces con el mismo traje. Me pregunto que hará con todos esos trajes. Una cosa sí sé: no se los da a Ed McMahon...

Silencio.

—Ed McMahon es demasiado grande para los pantalones de Carson, ¿me seguís? Seguro que sí. Pero creo que eso no ha sido muy gracioso. Bueno, a mí me gusta ir entrando en el humor sin que os deis cuenta, poco a poco, sigilosamente, ya sabéis...

—¡A ver si lo logras antes de que salga el sol! —gritó un borracho enorme desde el fondo de la sala.

Manny miró hacia la oscuridad a través de los focos.

—Ah, ya te veo, amigo. ¡Madre mía! ¡Si eres un gilipollas ENORME! ¡Eres un gilipollas tan enorme que podrían meterte el *Queen Mary* por el trasero y todavía te quedaría sitio para la procesión de Semana Santa!

—¡Eres puñeteramente malo! —contestó el borracho gigantesco—. *¿No sabes bailar un poco de claqué?*

—Yo... —empezó a decir Manny.

—*¡O mejor aún, un número en el que desaparezcas!* —gritó otro borracho.

La escasa audiencia aplaudió enloquecida.

Manny esperó a que acabasen.

—Bien —dijo—, ya sé, amigos, que estáis descontentos porque vuestras novias se acuestan con los árabes mientras vosotros tenéis que vender el Volkswagen para poder pagar la hipoteca del mes que viene, pero yo estoy aquí para haceros reír a pesar de todo...

—*¡Venga, hazlo de una vez, judío mamón!* —gritó el borracho enorme.

—Deseo agradeceros que me hayáis hablado sin rodeos —dijo Manny muy tranquilamente—. Ahora si dejáis ya de meter mano a vuestras damas por debajo de la mesa, continuaré con mi actuación.

—*¡Más te vale! ¡Ya casi está saliendo el sol!*

—Está bien, entonces, ¿habéis oído ese del soldado de chocolate que se acostó con la chica de chocolate que pidió por correo?

—¡Sí!

—Muy bien, entonces, ¿sabéis el del presidente Reagan y la gran sorpresa que Nancy le tenía preparada?

—*¡Ése ya lo contaste anoche!*

—¿Estuviste aquí anoche?

—¡Sí!

—¿Y estás aquí esta noche?

—¡*Sí!*

—Bueno, gilipollas, eso quiere decir que ya somos *dos* los estúpidos. ¡Pero la diferencia es que *a mí me pagan*!

—¡*Si vengo mañana por la noche y todavía estás aquí es a mí a quien tendrían que pagarle!*

El público aplaudió. Manny esperó a que acabasen.

—La única diferencia entre vosotros y los que están en la tumba es que *vosotros* estáis sentados —dijo amablemente.

—¡*La única diferencia entre tu actuación y una tumba es que en una tumba no te cobran por el cubierto!*

Hubo más risas. Manny parpadeó.

—Eh, ¿vosotros de dónde habéis salido? ¿De un útero o de un manicomio?

—¡*Nosotros* de un útero! ¿Y *tú* de dónde coño has salido?

Manny quitó el micrófono portátil del soporte y se sentó en el borde del escenario, con las piernas colgando. Sacó la botella de vodka, la empinó, se la bebió de un trago.

—Me caéis realmente bien. Sois muy listos. ¿Sabéis que yo actué con Lenny Bruce?

—¡*No me extraña que haya muerto de una sobredosis!*

—¡Y todas vosotras, *encantadoras* damas! ¿De dónde habéis salido, *encantadoras* damas? A mí me dais la impresión de que habéis salido del *Museo de Cera*. ¿Necesitáis velitas para vuestros coñitos?

—¡*Eso no tiene ninguna gracia, niñito judío! ¡No permitiré que hables así de mi mujer!*

Era el borracho enorme del fondo de la sala. Se levantó de la mesa. Tenía un tamaño impresionante. Y, como una marejada de carne, avanzó hacia Manny. Manny parecía no poder moverse.

Las luces del escenario se apagaron. Luego se encendieron. Irrumpió la orquesta. Salieron las coristas con sus grandes culos y sus tetas colgantes. Levantaban las piernas y la música estaba muy alta.

El borracho enorme continuaba su curso hacia Manny a través del sonido. En cuanto estuvo cerca, Manny lanzó una fuerte patada y le dio en todos los huevos. El tipo enorme gruñó pero no cayó. Se detuvo un momento y cuando Manny se puso de pie para salir corriendo del escenario, el borracho enorme logró estirar un brazo, cogió a Manny por el bajo del pantalón y lo tiró fuera del escenario. Manny cayó cuan largo era. El borracho enorme lo cogió, lo levantó por encima de su cabeza y lo lanzó sobre una mesa vacía en el momento en que los guardias de seguridad entraban corriendo. La orquesta seguía tocando. Las chicas seguían levantando las piernas todo lo que podían.

Benny Blue había entrado un momento antes. Estaba de pie en la puerta. Como siempre, llevaba consigo su caja de burbujas. La sacó y se puso manos a la obra. Hizo una burbuja que tenía la forma de un pito fláccido y unos huevos colgando. Aquello se elevó por encima del alboroto. Había nacido una estrella.

LO SUFICIENTEMENTE LOCO

No sé exactamente cómo empezó. Hubo un adelanto de 5.000 dólares y después pasó cerca de un año y entonces me enteré por Harry Flax de que estaban filmando la película en Italia. Harry Flax era una especie de buscavidas, estafador y promotor de la editorial Waterbed Press de San Francisco. Harry Flax metía los dedos en todo, incluida mi biblioteca, de la cual se habían esfumado algunos ejemplares raros, pero ésa es otra historia, y H. F. no es el único que ha echado mano a mi biblioteca. De todas formas, me enteré de que estaban filmando «Canciones del suicida». Dirigía Luigi Bellini, Ben Garabaldi haría de mí y Eva Mutton iba a ser mi mujer. Yo iba muy poco al cine porque me bastaba a mí mismo para asesinar mi tiempo, no necesitaba ayuda extra. Pero la poca gente que conocía me había dicho que Bellini era un tipo importante, que había hecho unas pocas películas sueltas y atrevidas. Eso decían. Y en el correr de los años había tropezado con algunas de las actuaciones de Garabaldi. No era malo. No era una maravilla, pero no era malo. Tenía unos ojos suplicantes, como los de un hombre estreñido sentado en un orinal y esforzándose en cagar. Me gustaban sus ojos. Pero le quitabas eso y era demasiado agradable. Un macho guapo, pero pagado de sí mismo, sin rastro de insensatez. Probablemente, haberse tirado a tantas mujeres le daba ese aire satisfecho. De Eva Mutton no sabía mucho, pero me habían dicho que era un bocado dulce y sensual y que todos los italianos soñaban con tirársela.

Pues bien, me enteré a través de Flax y a través de Hans Weiner, mi promotor y agente en Europa, de que la filmación se estaba realizando. Mis relatos de la editorial Waterbed Press se estaban pasando a una forma diferente. Y después me olvidé del asunto. Yo estaba trabajando en la novela sobre mi infancia *El perro con esparadrapo*, y pensando solamente en mi padre y todas aquellas mierdas del colegio que me jodían, lo cual ya era bastante en que pensar.

Así que escribía a máquina e iba al hipódromo y cuando no estaba sentado a la máquina estaba bebiendo con Sarah, y aunque ella sólo pesaba cuarenta y seis kilos y yo estaba en los ciento dos, ella me acompañaba copa a copa. Una persona un poco rara para dirigir un sitio de comida naturista. De todos modos, los caballos corrían con fortuna y la máquina de escribir también y, cuando ya llevaba tres cuartas partes de la novela, recibí una llamada telefónica de Flax. Me dijo que los italianos estaban en la ciudad, tenían que rodar algunas escenas en Venice Beach y querían conocerme. Le dije que muy bien y fijamos un sitio y una hora. A Sarah le encantaba el ambiente del cine. Yo estaba preparado para lo peor: saca el pito por la ventana y ya verás como viene un pájaro y se te posa encima.

Aparcamos fuera del recinto, en West Hollywood. Sarah y yo bajamos de mi coche y Flax y su chica, Sunday, bajaron del suyo.

—Esperad un minuto —dije—, no podemos entrar todavía.

—¿Por qué no? —preguntó Flax.

—Puede que no tengan nada de beber.

—Seguro que tendrán.

—No puedo arriesgarme.

Había una tienda de bebidas en la acera de enfrente, entré y me compré mi bebida...

Era una habitación grande con una fila de mesas y una tabla muy larga encima. Todo el equipo estaba allí, Bellini, Garabaldi.

Mutton estaba en Italia. Ella no salía en la escena de Venice. Se hicieron las presentaciones. Había muchos, muchos italianos, la mayoría bajos y delgados. Excepto Bellini, que era muy bajo y muy ancho, y tenía un bonito rostro, humano e interesante. Garabaldi iba con vaqueros y barba para parecerse a mí, y yo estaba recién afeitado, con un abrigo de Brooks Brothers, pantalones nuevos y zapatos brillantes.

Alguien me pasó un vaso de plástico lleno de vino blanco. Bebí. Estaba caliente.

—¿Esto es lo único que tenéis? —pregunté.

—¡Sí, sí, pero hay un montón!

—¡Dios mío, esto está CALIENTE! ¡El vino blanco no se bebe caliente! ¿Qué os pasa?

—¡HIELO! —gritó alguien—. ¡TRAED HIELO! ¡HIELO!

Saqué de la bolsa mi botella de tinto, la descorché, serví un vaso para mí y otro para Sarah; les pasé la botella a los italianos.

—Deberíais conseguir un poco de tinto —dije.

—¡VINO TINTO! —gritó alguien—. ¡TRAED VINO TINTO!

Bellini me miraba. Estaba al otro lado de la mesa.

—Chinaski —dijo—, vamos a hacer un concurso a ver quién bebe más.

Me reí.

Levantó la pierna derecha y la puso sobre la mesa.

—¿Qué demonios hace? —pregunté.

—Yo bebo así.

—Muy bien —dije. Levanté la pierna y la puse sobre la mesa.

Bellini vació su vaso. Yo vacié el mío. Volvieron a llenarlos y los vaciamos. Iba a ser una tarde espléndida.

Uno de los italianos me metió el micrófono en la cara.

—Tu madre les chupa las orejas a los perros —le dije.

Era un buen chico. Se rió.

Ben Garabaldi estaba de pie a mi lado. Simplemente estaba allí, con su vaso de vino en la mano. Un año más tarde, en una entrevista, diría que me había hecho emborracharme hasta caerme al suelo. Supongo que a los actores les está permitido imaginarse todo lo que quieran.

—Te he visto en esa película en la que diriges un night club —le dije—. No estaba mal.

—Y yo estoy leyendo tus libros. —Sonrió.

—Una vez tuve una novia que era escultora. Conocía a un actor que te conocía y ese actor lo había arreglado todo para que ella fuese a visitarte y esculpiese tu cabeza, pero yo no la dejé porque tenía miedo de que te la follaras.

Él volvió a sonreír. Tenía una bonita sonrisa, llena de conocimiento. Y aquellos ojos. Pero no era el tipo indicado para hacer de Chinaski. Estaba adormilado por dentro.

Dado que el micrófono seguía allí, contesté algunas preguntas y conté algunas historias y continuamos bebiendo. Los italianos se reían en los momentos apropiados durante el transcurso de mi conversación. Sarah se paseaba por allí, ella ya conocía todos esos rollos míos. Bebimos y bebimos. Me quité el abrigo y me quemé la camisa con el cigarrillo. No era un verdadero concurso de bebedores: los vasos de plástico eran demasiado pequeños y había que estar sirviendo continuamente. En casa yo bebía en un cáliz de plata en el que cabía media botella. Pronto no quedó más que vino blanco y cerveza caliente. Reuní a Sarah, Flax y Sunday, y nos fuimos de allí.

Pasaron los meses. Tal vez un año. Terminé la novela y me preguntaba si volvería a escribir otra. Bueno, aquello no importaba. Todavía tenía los caballos, la poesía y los cuentos cortos.

Por esa época empecé a recibir cartas de gente que me decía que habían acabado las «Canciones del suicida» y que la estaban poniendo en Italia. Después me enteré de que la estaban poniendo en Alemania y después en Francia. Me enteré por una media docena de personas que la habían visto. El escritor es casi siempre el último de la lista. De todos modos, ¿qué es un escritor?

190

Un escritor es como una puta. Utilizas a una puta y luego has terminado con ella.

Creen que si los escritores sufren serán mucho mejores. Eso es pura mierda. El sufrimiento es exactamente igual que cualquier otra cosa: si te dan demasiado, al cabo de un tiempo puedes hundirte. Es el intento de escapar del sufrimiento lo que crea *grandes* escritores: te sientes tan bien que haces que los lectores se sientan bien.

Bueno, no importa. La película llegó por fin a Hollywood, iban a estrenarla en un cine de Melrose. El teléfono empezó a sonar. Demasiado. Pero no era ni Garabaldi ni Bellini, era el distribuidor y los amigos del distribuidor. Éste era todo un grupo nuevo. Un tipo, un publicista del distribuidor, Benji, quería entrevistarme. Tenía la costumbre de llamar a las 8 de la mañana.

—No, Benji, nada de entrevistas...

—¡Ayudará a la película!

—No voy a respaldar la película. He oído que es una mierda.

—¡No, es fantástica! ¡Fantástica! Déjame sólo hacerte algunas preguntas de cuando escribiste *El suicida*. Ayudará...

—¡NO ME JODAS, BENJI, TE HE DICHO DOS VECES QUE TRABAJO HASTA MUY TARDE POR LA NOCHE Y QUE NO ME LLAMES NUNCA ANTES DEL MEDIODÍA!

—¡Pero al mediodía ya te has ido al hipódromo!

—Eso es.

Clic...

Me enteré de que el asunto funcionaba así, al menos en este caso: el distribuidor compra al que hizo la película los derechos para exhibirla, digamos los derechos en Inglaterra o los derechos en Estados Unidos o los derechos europeos. Después el distribuidor intenta colocarla en los cines para recuperar su inversión. Todo lo que saque por encima de su inversión es beneficio. Y hay porcentajes en estos negocios. Me pareció que había mucha presión y un montón de dinero en danza.

Una tarde apareció el distribuidor con Benji y otros tres. El distribuidor se llamaba George Blackman y era de Nueva York, y a mí me gusta la gente de Nueva York cuando la conozco en San Pedro; cuando la conozco en Nueva York es cuando me despista. Era un tipo grande con traje gris y corbata, y Benji llevaba un traje gris y corbata, y yo conozco a esos tipos: sus zapatos siempre están un poco estropeados y tienen la punta del cuello de la camisa desgastada. La novia de Blackman era Angel. El pelo de Angel era todo blanco y su cara parecía que tuviera mil años, y sin embargo el resto de ella parecía que tenía diecinueve. Eso se llama sobrevivir, y todos habían sobrevivido bastante bien, tenían un encanto pétreo, pero yo no sabía bien qué hacer con ellos. Trajeron un vino bastante malo en garrafas con asas y yo las puse en el armario de las escobas y saqué un buen tinto. A Sarah le despertaban curiosidad y les hizo un montón de preguntas, lo cual estaba muy bien porque los apartaba de mí. Este tipo de asuntos siempre incluyen beber, comer y quizá drogarse y cierta atmósfera relajada, mientras en algún sitio en el aire surgen, amenazadoras, la presión continua y la desesperación de seguir vivos sin que importara demasiado qué coño creyeran que estaban haciendo.

—¿Recibes un porcentaje por esta película? —me preguntó Blackman.

—Supongo que sí, pero no me preguntes si es un porcentaje sobre las ganancias netas o brutas. No lo sé...

—Muy bien —dijo Blackman—, no preguntaré...

Después nos siguieron en su coche y bajamos hasta el puerto, al sitio donde tienen cangrejos vivos y parrillas. A mí me gustaba porque lo frecuentaban obreros. Muy pocos de esos yuppies que pueden estropearte la comida si tienes que verlos todo el rato. Caminamos por allí y miramos los recipientes con los cangrejos.

—Ahora —le dije a Blackman—, cuando veas el cangrejo que te guste, lo único que tienes que hacer es señalárselo a uno de los chicos y él se lo llevará al hombre de la parrilla para que te lo haga.

Elegimos nuestros manjares y esperamos en la mesa con nuestras cervezas. Alguien me metió un magnetofón delante de la cara. Era Benji.

—Di algo —ordenó.

—Muy bien —dije—, ¿quién va a pagar todo esto?

—Blackman.

—Bien, a ver que te parece esto: estamos todos atrapados por las circunstancias y al intentar escapar sólo conseguimos mutilarnos.

—¿Ah, sí?

—Sí. Y siempre hay algún hijo de puta tratando de hacerte la puñeta en la autopista y no sabe quién eres, ni le importa. Y aún peor: le da igual si te mata.

—¿Ah, sí?

—Sí. Todo es una conspiración e importa muy poco. Y las cosas importantes no suelen importar...

—¿Ah, sí? ¿Y qué es lo que importa?

—Lo que importa son las pequeñas cosas como asegurarte de que tienes suficiente agua en el radiador del coche, o cortarte las uñas de los pies, o tener suficiente papel higiénico, o una bombilla extra, cosas como ésas.

—Eso no parece gran cosa.

—Pues es mucho. Maneja bien tus asuntos triviales y las cosas importantes encajarán solas.

—¿Incluso la muerte?

—Incluso la muerte adoptará una lógica perfecta.

—Eso me gusta —dijo Benji.

—A mí también —dije—, incluso aunque no sea cierto.

Entonces llegó el cangrejo y pedimos más cerveza, luego aquello nos gustó tanto que fuimos a elegir más cangrejos a la parrilla y más cerveza. Parecía un día lleno de fortuna y placeres, y después nos volvimos a meter en los coches y regresamos a mi casa.

Volvimos a vernos una vez más después de eso. Vino Blackman e hizo un pescado al horno con cebollas y trajeron un buen vino tinto y hablamos durante toda la noche hasta que amaneció. Había que hacer algo mientras esperábamos. Entonces llegó el momento de la película. NOCHE DE ESTRENO...

Sarah y yo cenamos frente al cine. Allí estaba, muy arriba en la cartelera: «Canciones del suicida». Bebimos vino mientras esperábamos la cena. Teníamos nuestra propia botella de vino para la película. Yo tenía el presentimiento de que íbamos a necesitarla. Entre el libro y su conversión en película se infiltraban muchas cosas. Sobre todo grandes egos que no podían dejar las cosas tal cual, tenían que interpretarlas según su forma de ver y su forma de ver no era muy buena o, si no, no serían tan estúpidos como para consumirse en el negocio del cine.

Acabamos de cenar y cruzamos corriendo hacia el cine. Había una gran multitud allí fuera. Entramos empujando hasta el vestíbulo y entonces me rodearon con ejemplares de *El suicida*. Todos querían un autógrafo. Yo no tenía ni idea de que se estuviesen vendiendo tantos ejemplares. ¿Dónde diablos estaban mis derechos de autor? Hacía calor allí y me atosigaban con los libros. Sarah estaba apretujada contra mí.

—Esto es peor que una lectura de poesía —me dijo.

—Nada —le dije— es peor que una lectura de poesía.

Un tipo me pasó una botella de whisky y eché un buen trago.

—Quédatela —dijo el tipo—, toda esa mierda tuya me ha proporcionado muchísima risa.

Así que eché otro trago a la botella y seguí firmando libros. Muchísimas jovencitas con libros míos. Yo me imaginaba que los escondían debajo de sus almohadas por la noche. Seguí y seguí firmando y dándole a la botella. Whisky y vino son una buena mezcla: absolutamente pasmosa.

Ahora Benji estaba de pie a mi lado. Me agarró del brazo.

—La película no empezará hasta que no pares de firmar.

—¡ÉSTE ES EL ÚLTIMO LIBRO! —grité.

Entramos a empujones. Nuestros asientos estaban esperándonos. Nos sentamos y metí la mano en la bolsa y descorché una botella de tinto. Entonces se puso todo oscuro y comenzó la película.

Ben Garabaldi estaba en una lectura de poesía. Estaba leyendo un poema. Llevaba gafas oscuras. Aquello ya era un mal comienzo. A medida que la película avanzaba me di cuenta de que era mucho peor de lo que había imaginado. Garabaldi interpretaba su papel como yo me temí que lo hiciese: despreocupado y tremendamente sensato. A medida que transcurrían las escenas aquello se iba poniendo cada vez peor. Garabaldi le daba continuamente al vino, pero no bebía como si lo necesitase y nunca se emborrachaba. El objetivo del vino es emborracharte y hacerte olvidar. Bueno, Garabaldi se olvidó: se olvidó de actuar. Entonces conoce a Eva Mutton en un bar. He estado en cientos de bares pero jamás he visto a una mujer como ésa en un bar. Simplemente no tenía tipo de mujer de bar. Era más bien como una modelo pensativa, incapaz de abrir la boca.

La película era tan mala que tuve que desahogarme. Empecé a gritarles cosas a los actores, dándoles indicaciones. Pero no me obedecían. Seguí intentándolo.

Al final un tipo me gritó:

—¿POR QUÉ NO TE CALLAS DE UNA PUÑETERA VEZ?

—¡SOY CHINASKI! —respondí a gritos—, ¡Y SI HAY ALGUIEN QUE TENGA DERECHO A GRITARLE A ESTA PELÍCULA SOY YO!

La película continuó y Garabaldi no llegó a emborracharse. Al final está en una playa y está abrazado a las piernas de aquella jovencita en bañador. Las olas rompen a sus espaldas y el viento despeina los cabellos de Garabaldi. Comienza a recitar una poesía sobre la bomba atómica que escribí hace un par de décadas. Sigue hablando sobre cuán despiadados y estúpidos hemos sido al crear el monstruo atómico. Deduce que ya nos hemos hecho esto antes a nosotros mismos en un pasado olvidado hace ya mucho tiempo, que más de una vez hemos mandado a la mierda nuestras oportunidades, y ¿no aprenderemos *nunca*? Entonces levanta la mirada hacia las piernas de la chica mientras rompen las olas y las gaviotas revolotean.

—¡A LA MIERDA TODOS! —grité, y la película terminó coronada por un murmullo de aplausos.

Salimos de allí y me encontré en un bar con Blackman, Benji y el equipo. Estábamos en una mesa y Sarah sugería que me callase. De algún modo, tratando de ser amable, yo había insultado al camarero. La gente me tenía harto, siempre les estabas insultando; si no les decías lo que querían oír lo tomaban como una afrenta.

Llevábamos allí un rato sentados y lo único que hacían era poner la película por las nubes y yo empecé a hablar de otras cosas, de caballos y de boxeo, pero ellos seguían allí sentados poniendo la película por las nubes, no queriendo admitir el fracaso, porque eso significaba que ellos habían fracasado. Un poco duro.

Lo siguiente que recuerdo: Sarah y yo ya no estábamos allí, íbamos en el coche por la autopista pero nos habíamos perdido. Yo no tenía ni idea de en qué autopista estaba. Pero todavía teníamos vino y cigarrillos. Empezó a llover. La visibilidad era mala, pero no tan mala como para no distinguir las luces rojas que aparecieron repentinamente en mi espejo retrovisor. Paré.

No pasé la prueba de la alcoholemia, y lo siguiente que recuerdo es que tenía las manos detrás y las esposas puestas. Entonces me hicieron tumbarme en la carretera. Las esposas me hacían daño en las muñecas. Estaba en un río de agua. Corría a través de mis pantalones y me empapaba los calzoncillos. Había 4, 5 o 6 polis con impermeables amarillos. Un par de ellos hacían señales aquí y allá con sus linternas. Estaban hablando con Sarah, que tampoco estaba sobria.

—¡EH! —les grité desde allí abajo—, ¡SOY EL ESCRITOR MÁS IMPORTANTE DEL SIGLO XX! ¿ES ASÍ COMO TRATAN A LOS INMORTALES?

Uno de los policías vino hasta mí y me alumbró con su linterna.

—¿Así que es usted escritor? ¿Y qué escribe?

—Cochinadas. Estoy nominado para el Premio Nobel.

Luego me encontré sentado en el asiento trasero de uno de los coches de policía con Sarah. Uno de los polis nos seguía en mi coche.

—Esto es horrible —dijo Sarah—. ¿Qué va a pasarnos?

Ella no estaba tan acostumbrada a los polis como yo.

—Todo saldrá bien —le dije...

Lo que pasó después fue muy raro. Yo me había desmayado. Cuando volví en mí me habían quitado las esposas. Sarah y yo estábamos sentados en los asientos delanteros de mi coche. Estábamos en un aparcamiento enorme detrás de una comisaría quién sabe dónde.

—Sarah —le pregunté—, ¿dónde están los polis?

—No lo sé.

Busqué mis llaves. Mis llaves habían desaparecido. Se habían llevado mis llaves.

—Sarah, ¿tienes mis llaves?

—No. Y también se han llevado mi juego.

No entendía nada de aquel procedimiento.

—Tal vez nos hayan dado una tregua —dije—. Tal vez nos dejen aquí sentados para que se nos pase la borrachera.

—Se nos debería pasar.

—Qué estupidez —dije.

Yo era un maniático con las llaves. Siempre llevaba una llave extra del coche en uno de mis bolsillos traseros. Mi única esperanza era que siguiera allí. Llevé la mano hacia atrás, la metí dentro de aquel bolsillo empapado y ¡allí estaba!

—Estamos salvados —dije—. ¡Nos largamos!

—¡No, no! ¡No quiero que conduzcas en ese estado! ¡Vas a hacer que nos matemos!

Estaba como loca, los polis la habían puesto como loca.

Metí la llave en el arranque y puse el coche en marcha. ¡Dios, me sentí estupendamente!

—¡No, no! ¡No lo hagas! —dijo Sarah.

—¡Joder, menuda sorpresa se van a llevar esos tipos!

Salí de allí y ya estábamos en la carretera y entonces vi una entrada de autopista y nos metimos por ella.

—¡Vas demasiado rápido! —gritó Sarah.

—Qué tontería —dije.

—¡DEMASIADO RÁPIDO! ¡DEMASIADO RÁPIDO!

Oí un alarido terrible e impresionante y *entonces* Sarah estaba encima de mi arañándome la cara con las uñas y gritando al mismo tiempo. No podía hacer nada para detenerla. Seguía lloviendo y tenía que tener bien sujeto el volante. Me arañaba con furia. Finalmente se aplacó y continuamos nuestro camino. Entonces empecé a ver carteles de salida que me resultaban conocidos. Ya no estábamos perdidos. De hecho, estábamos muy cerca de donde queríamos estar. Muy poco tiempo después metía el coche en la entrada de mi garaje. Entonces, como soy un maniático con las llaves, metí la mano en la guantera, saqué la llave de casa y entramos. Sarah se fue derecha a la cama. Yo me quedé sentado en el piso de abajo dándome golpecitos en la cara con una toalla mojada, sintiéndome todavía muy bien por la huida...

Al día siguiente metí el dedo en la agenda telefónica y pedí una cita para que me pusieran la antitetánica. Era una sala larga llena de borrachos y tipos destrozados. Era una guarida habitual de marinos mercantes. Una chica me dio una hoja larga para que la rellenase. Se la devolví en el acto.

—¿No es usted marinero? —me preguntó.

—¿Eso cómo se escribe? —pregunté.

Ya estaba, se sintió insultada. Lo había vuelto a hacer.

Estuve sentado en una salita durante 30 minutos. Después entró una enfermera y me puso la inyección.

—Eso se lo ha hecho una mujer, ¿no? —me preguntó.

—Así es.

—Y volverá con ella, ya lo verá.

—No me he ido.

Todo eso pasó hace más de un año. No he vuelto a saber nada más sobre «Canciones del suicida». Supongo que la han archivado para el bien de todos. Pero el timo es que en Italia esa película produjo una cantidad tremenda de dinero y yo no he visto ni un centavo de mi porcentaje. Mientras tanto, otro productor ha pasado por aquí. Viene de España. Y ha pagado un adelanto. Quiere hacer cinco de mis cuentos cortos y cada uno va a ser dirigido por un director diferente, un español, un alemán, un francés, un japonés y un estadounidense. Cada uno en su propio idioma. Una noche pasó por aquí y hablamos de ello. Yo estuve sentado, bebiendo durante toda la noche. Él no. Qué cosa tan rara. Ya os contaré.

ÍNDICE

Hijo de Satanás   9

La vida de un vagabundo   18

Un día   36

La venganza de los malditos   48

Acción   58

El jockey   75

Camus   82

Fama   87

Hacia arriba sin alas   96

Mala noche 104

Tráeme tu amor 114

Los escritores 120

Bloqueado 127

No hay canciones de amor 135

Strikeout 142

.191 148

Solo en la cumbre 157

Cómprame cacahuetes y caramelos 163

El ganador 172

No hay trato 179

Lo suficientemente loco 187

Impreso en Talleres Gráficos
LIBERDÚPLEX, S.L.U.
Pol. Ind. Torrentfondo
Ctra. Gelida BV-2249 Km. 7,4
08791 Sant Llorenç d'Hortons (Barcelona)